D1542552

El secreto de la lejía

3 1489 00466 9923

Autores Españoles e Iberoamericanos

Esta novela obtuvo el Premio Azorín 2001,
concedido por el siguiente jurado:
Julio de España Moya, Carlos Revés, Fernando Schwartz,
Lourdes Ortiz, Dulce Chacón, Manuel Cifo González,
José Ferrándiz Lozano y Miguel Valor Peidró.

La Diputación Provincial de Alicante
convoca y organiza el Premio Azorín.
Editorial Planeta edita y comercializa la obra ganadora.

Luisa Castro

El secreto de la lejía

Premio Azorín
de la Diputación Provincial de Alicante
2001

Planeta

Este libro no podrá ser reproducido, ni total ni parcialmente, sin el
previo permiso escrito del editor. Todos los derechos reservados

© Luisa Castro, 2001

© Editorial Planeta, S. A., 2001
   Còrsega, 273-279, 08008 Barcelona (España)

Diseño de la colección: Silvia Antem y Helena Rosa-Trias

Ilustración de la sobrecubierta: Gonzalo Goytisolo

Primera edición: abril de 2001

Depósito Legal: M. 9.705-2001

ISBN 84-08-03834-6

Composición: Foto Informàtica, S. A.

Impresión y encuadernación: Brosmac, S. L.

Printed in Spain - Impreso en España

... Y a propósito, lo que se dice en los misterios sobre esto, que los hombres estamos en una especie de presidio, y que no debe liberarse uno a sí mismo ni evadirse de él, me parece algo grandioso y de difícil interpretación.

Fedón, PLATÓN

UNO

—

Todo el mundo sabe que los gallegos somos de una reticencia inescrutable. Esto es así y no hay que buscarle muchas explicaciones. Cómo creer que existe Dios, cómo creer que existe la persona que tienes delante, y que lo que dice es cierto, si uno no cree ni siquiera en la tierra que pisa, si uno no puede acabar de creer en sí mismo, ni en lo que hace, ni en lo que piensa. Sin embargo, entre los muchos inconvenientes que la acompañan, esta desconfianza profunda puede llegar a resultar útil, y creo que lo es. Cuestionarse lo obvio, dudar de lo evidente, aunque ello suponga un trastorno diario, ejercita el espíritu para otra clase de fe, la que requieren los hechos más insólitos, esos sucesos inesperados que nunca abordan a los ingenuos, para los que hay que estar preparado como sólo lo están los incrédulos, la gente que se pasa la vida temiendo la llegada de lo raro, de lo ajeno, de algo que no podrán comprender.

A los veinte años, yo ya era una buena candidata a este tipo de desafíos. Claro que lo que voy a contar ocurrió en Madrid, y, entonces, en esa ciudad sucedían cosas bastante inauditas. Hace quince años, todo el mundo estaba dispuesto a que le sucediera algo. Y si no lo estabas, peor. En el momento de mayor zozobra, yo misma, sin ir más lejos, quise embarcar en mi bote a una persona... increíble, sí; alguien verdaderamente increíble. Se llamaba Piedad. Pie-

7

dad Hero. Supongo que en cualquier otro momento su presencia me hubiera pasado desapercibida, y ahora yo seguiría existiendo al margen de ese río de acontecimientos por el que circula la vida de los demás, protegida de sus embestidas y sus peripecias. Pero mi polizón esperó agazapada el día preciso para manifestárseme, cuando quizás yo más lo necesitaba. Cuando la conocí, a primera vista Piedad me pareció un poco rara; sin embargo, en seguida vi en ella un milagro, una auténtica aparición. Así nos pasa a los incrédulos, que no estamos dispuestos a creernos nada hasta que ocurre, y entonces somos los primeros profetas, los primeros confesos.

Hace quince años, antes de mi llegada a Madrid, yo no tenía muchas ganas de sorpresas. Nunca me han gustado. Quizás por eso escribía poemas, una manera como otra cualquiera de evitar la vida, sumergida en una realidad que se desarrollaba aparte de los hechos, mientras esperaba el momento de convertirme en escritora, algo que con toda seguridad sucedería, aunque yo sólo hiciera por la labor nada menos tímido ni bochornoso que enviar versos de vez en cuando a un programa de Radio 3, desde el que un buen día el locutor me llamó:

—África, ¿estás ahí?

Cuando uno convoca a los espíritus, siempre puede suceder que contesten. Lo que no quiere decir que te alegres.

Yo vivía entonces en Armor, en la casa de mis padres, y, como de costumbre, estaba en la cama, aquejada de una de esas múltiples infecciones sin importancia que, como una preparación para el futuro, castigan y transforman la mente y el cuerpo de los jóvenes, o ésas eran las teorías tranquilizadoras del médico que me visitaba, y a las que yo, más que enfrentarme, me entregaba con absoluto esmero. Creo que si no fuera por aquella llamada, me las hubiera arreglado para seguir curándome de mi prolongada adolescencia por una eternidad. Pero cuando oí mi nombre a través de la radio el corazón me empezó a latir con fuerza debajo de las sábanas.

—Las musas te han elegido, África, hoy vamos a leer tu obra —continuó el locutor, que impostaba una voz de ultratumba. Y a continuación, sin el mínimo sonrojo y ante toda la audiencia, se dispuso a leer uno de los poemas que yo había enviado, y que escuché con todos los músculos del cuerpo contraídos, sudando de vergüenza bajo las mantas.

Por ahí empezó todo. Y creo que lo intuí. Por suerte, en aquella ocasión estaba sola en la casa. Únicamente la voz de la radio alteró el silencio del cuarto, que a esa hora del mediodía recibía la luz filtrada por las cortinas, una luz blanca y potente que invadió la atmósfera como un rayo durante todo el tiempo que duró la lectura del poema, y que se extinguió de golpe, como sólo lo hace en ese lugar abandonado de la mano de Dios donde ni la luz se atreve a entrar. Yo no pude seguir oyendo el programa. Mis pensamientos empezaron a viajar tan lejos que, cuando a continuación sonó el teléfono, tardé en dar con él. Me temblaban las piernas cuando corrí a descolgar.

—¿África Cabana? —Era la voz del locutor. Me quedé muda por un momento.

—¿Diga?

—Llamamos de «Mil y un poemas», soy Isaac Alcázar. Nos ha gustado mucho lo que nos has mandado.

Yo no estaba segura de si me oía la audiencia o no, y no me atreví a hablar.

—Sabes que cada mes invitamos a uno de los mejores para que lean su propia obra aquí. Queremos que vengas la próxima semana.

Aquella irrupción en mi vida más me pareció un allanamiento de morada que una invitación.

–¿Y por qué tendría que ir? —pregunté.

El hombre se quedó desconcertado. Noté en su voz una especie de decepción y un tono ligeramente enfadado.

—Bueno, si no quieres, nadie te obliga. Pero creo que deberías venir. Nosotros te pagamos el viaje y el alojamiento. ¿Cuántos años tienes?

—Bastantes —dije. Estaba un poco indignada de verme contestando a punta de pistola.

—No. Te lo pregunto porque a veces llama gente muy joven al programa y entonces también pagamos el billete para un acompañante. No sé si es tu caso.

—Ahora mismo estoy enferma —respondí—. He tenido que levantarme de la cama para contestar el teléfono, y no sé cómo me encontraré dentro de una semana.

—Siento haberte molestado —contestó el otro, cuya perplejidad se había convertido en irritación—. Hasta otra.

El locutor ya iba a colgar, pero aún mantuve un momento en mis manos el aparato. El abandono de mi oponente no me dejó satisfecha.

—Y además —pude añadir antes de que se cortara la comunicación—, aunque estuviera sana, ¿por qué tendría que ir?

—Un momento —la voz de Isaac Alcázar se elevó un grado—, yo sólo te estoy invitando porque nos ha gustado tu poema. Si no quieres venir, no pasa nada. No me voy a morir porque no vengas. La única que se lo pierde eres tú.

Tenía toda la razón, pero encontré muy arrogante aquella salida.

—Un momento —respondí—. Yo no le he dicho que no vaya a ir, quizás voy, pero es que no le conozco de nada...

Supongo que el locutor prefirió pensar que estaba hablando con una poeta y no con una cretina, aunque esa diferencia le resultara difícil de establecer.

—Bueno, si te parece, te lo piensas y te llamo dentro de unos días —sugirió, echando mano de las dotes de psicólogo que le había reportado su experiencia con los oyentes de la radio—. Si es por mí, soy una buena persona —aclaró—, o en ese concepto me tengo, vamos. Aquí lo único que nos importa es la poesía.

Al otro lado del teléfono se debía de oír mi silencio.

—... Es que a mí tampoco me importa tanto la poesía —dije finalmente.

—Mira —la paciencia del hombre empezaba a agotarse—, te das una vuelta por Madrid y nos conocemos. Te llamo dentro de unos días, ¿vale?

Colgué. Me quedé parada mirando el teléfono, por si volvía a sonar, cosa que no sucedió. A continuación regresé a mi cuarto. Me asomé a la ventana desde la que se veía la calle desierta. Los hombres y las mujeres estaban en sus trabajos, mis compañeros aún no habían vuelto de la universidad. Para pasar el rato encendí la televisión que mi madre me había trasladado al cuarto y me metí en la cama. Era la hora de «Leonardo da Vinci», una serie dramática que contaba por capítulos la vida del inventor italiano. Ese día, Leonardo inventaba el submarino. Sus dibujos eran espléndidos, y el actor que interpretaba al genio, con su rostro sereno y sus barbas largas, era la viva imagen de Dios, tal y como siempre me lo había figurado. Me parecía admirable aquella atribulada vida de conspiraciones y trabajos. Cada vez que un enemigo de Leonardo aparecía en escena, poniendo en peligro todas las investigaciones del sabio, yo sufría lo indecible por no poder hacer nada. Mi impotencia de espectador me dejaba siempre un regusto amargo cuando terminaba el capítulo. Aquel día no pude concentrarme en la serie. Abrí el libro que estaba leyendo, *Genoveva de Brabante.* Iba por la página en que la heroína cruza el bosque con su hijo en brazos y una cabra amiga, pero me sentí incapaz de seguirla en sus escondites. Mejor se estaría en casa, pensé, que arrojada al mundo, a las fieras de la Selva Negra. Lo terrible era que Genoveva de Brabante no tenía opción. Parecía condenada a aquel constante suplicio, ni siquiera la movía un gran ideal ni una voluntad de sacrificio. Lo que en apariencia era el cumplimiento de un destino honroso, para mí era el desperdicio absurdo de una vida. Yo sentía una pena inmensa por los hombres y las mujeres heroicas, su tiempo se consumía en persecuciones inútiles y al final siempre acababan mal. Cerré el libro aburrida y, con esa sensación de tedio e injusticia, tomé mi libreta de la mesita de noche y me dispuse a escribir un poema.

Mi madre llegó en medio de este proceso. Era lo peor que me podía pasar, que me interrumpieran mientras escribía, pero ese día lo agradecí. Aquel poema no conseguía hacerme olvidar el mal papel que había hecho durante la conversación telefónica con el locutor. No tenía que haber atacado de aquel modo a un desconocido. El hombre estaba orgulloso de su trabajo y parecía contento de poder invitar a una joven al mundo de las ondas y la musas, una invitación que yo muy bien podría haber agradecido y declinado. No resolví con versos la afrenta. El poema se me pegaba a las manos como las escamas de un pez. Mi madre venía contenta del trabajo, por fin le habían entregado el dinero de la paga extra. Me apresuré a cerrar la libreta.

—Ese cabrón ha soltado la pasta —dijo, abanicándose con los billetes—. Qué, ¿has tenido fiebre?

No esperé un segundo para contárselo, aunque no sabía muy bien cómo empezar. A buenas horas iba a contarle a ella el miedo que me daba salir de la cama para, además, encarar un viaje a Madrid hacia una aventura imprevista.

—Han leído un poema mío en la radio —le dije como de paso.

Mi madre no pareció oírme. Era la hora de comer y se dirigió a la cocina.

—Yo creo que ya te podrías levantar. Anda, vístete.

Y desapareció por el pasillo, arrastrando con ella el televisor, que devolvió al comedor.

—Y después —yo insistí— el locutor me llamó para invitarme al programa. Estuve hablando con él por teléfono.

—¿Y por qué no vas? —Me chocó la disposición de mi madre. Supuse que estaba distraída, pensando en su dinero.

—Es en Madrid.

—No, claro, es muy lejos.

—Me decía que me invitaría con un acompañante, si yo quisiera.

Mi madre manejaba la espumadera sin prestarme demasiada atención.

—Díselo a tu padre —dijo, rescatando los huevos de la sartén.

—Yo no quiero ir con mi padre.

—Pues vete sola.

—Ya.

Ni la una ni la otra volvimos a acordarnos del asunto hasta cinco días después. De vuelta de las clases, encontré a mi madre revolviendo en los fondos del armario, subida a un taburete. Recordaba que allí había una maleta que nunca habíamos usado.

—Te han llamado de Radio Nacional; un hombre con muy buena voz. Me ha dado su número de teléfono, para que le llames.

Había pasado casi una semana desde mi conversación con Isaac Alcázar. Yo había reiniciado mi vida y no me apetecía nada hablar con aquel hombre.

—No creo que vaya —dije.

Mi madre extrajo la maleta del armario. Era un peque-

13

ño fin de semana sin estrenar. Me dijo algo que me sorprendió:

—Creo que deberías ir, África.

Dejé a mi madre subida al taburete con la maleta en la mano y me dirigí al teléfono, dispuesta a insultar al locutor. Marqué el número que había apuntado en la primera página de la agenda.

—¿Isaac Alcázar?

—Yo soy.

Dejé pasar unos segundos.

—Soy África, la del poema.

—Cuánto me alegro, ¿cómo te encuentras, ya estás bien?

Parecía que nos conociéramos desde hacía años. Aquella familiaridad adquirida me molestó.

—Muy bien, gracias...

—Me gustaría que estuvieras este viernes aquí, en el programa.

Mis reticencias no habían hecho la menor incisión en sus planes. O no se acordaba de la conversación que habíamos tenido o, sencillamente, lo que yo pensara y dijera le traía sin cuidado. Yo no daba crédito a lo que oía. Las dudas pertenecen sólo a quien las cobija, es sencillamente absurdo desparramarlas por ahí. Me había pasado toda la semana estudiando latín y no encontraba lógico que aquel hombre al que no conocía de nada viniera a interrumpir mi rutina. Más que una invitación, aquello parecía una orden. Debo confesar que su empeño me conmovió. No se mostraba resentido, sino todo lo contrario, dispuesto a aligerarse de la vanidad que hiciera falta para hacerle un hueco a mi soberbia en su programa. Mientras yo buscaba el modo más educado de evitar aquel mandato, alguna frase sencilla que excusase mi asistencia, Isaac Alcázar, instalado en su convencimiento, antes de que a mí me diera tiempo a rechistar, ya estaba hablando del transporte y el alojamiento. Fue todo muy rápido. No encontré la frase adecuada y no me vi capaz de colgarle el teléfono. Acabó de desarmarme mi madre, que seguía de cerca nuestra conversación. Me encontré de pronto prefiriendo el autobús al avión. Había un autobús directo Armor-Madrid que, aunque tardaba doce horas en llegar, tenía la ventaja de que se tomaba al lado de mi casa, y era el transporte que utilizaban mis tíos. Con respecto al hotel, no quise reservar habitación. Me alojaría con mis familiares. Ambas cosas me proporcionaban la tranquilidad de lo conocido.

—En ese caso, llámame cuando estés en Madrid. Te invitaré a cenar.

—Yo nunca salgo a cenar.

—Pues nada. Llámame.

—Vale.

Así de absurda fue mi decisión, por no quedar de maleducada ni ante mi madre ni ante el locutor. El día del viaje, todos madrugaron en la casa menos yo. Mi madre tuvo que despertarme para que no perdiera el autobús. Un sueño pegajoso se había apoderado de mí por completo. Me vestí, cogí la carpeta con mis poemas, la maleta que mi madre me había preparado, y llegué a la parada cuando el autobús ya estaba esperando para salir. No hubo tiempo de despedidas ni recomendaciones. Me subí al primer asiento, junto al conductor, y le dije adiós con la mano a mi madre.

La primera parte del viaje transcurrió monótonamente. Agradecí aquel silencio de buena mañana, aquella quietud. Nadie se sentó a mi lado y, por tanto, no me vi obligada a hablar. El autobús empezó a subir la montaña que separaba a Armor del resto del mundo. No sabía para qué me había metido en aquel lío, pero prefería no pensarlo. Me quedaban muchos kilómetros para llegar a mi destino y eso me consolaba. En la mitad del trayecto, el autobús paró para que los viajeros pudiéramos comer algo. Pedí un bocadillo de jamón y volvimos a subir al coche. Había algunos pasajeros nuevos. Una mujer de aspecto monjil se sentó a mi lado. Tenía necesidad de conversación.

—Hola —dijo, exhibiendo un rostro despejado—, me llamo Belén.

—Yo, África —contesté.

La joven monjil se rió.

—Tienes un nombre muy gracioso.

—Mi hermana se llama América. Le dio por ahí a mi madre. Parece que nos guste mucho viajar —dije—, pero es la primera vez que voy a Madrid.

La mujer, que era de Ponferrada, vivía desde hacía cinco años en Madrid. Era médico.

—Yo soy escritora —me aventuré—, voy a un programa de radio. Me han invitado.

También en esa ocasión mi compañera de viaje se mostró muy sorprendida.

—¿Y cómo es eso? —preguntó—, a mí me gusta mucho la literatura.

—Mandé un poema a la radio y me han dicho que vaya. Así de sencillo.

—Pero no es tan sencillo —replicó Belén—. Yo creía que sólo la gente de cierta edad se atrevía a escribir.

—Pues a mí me gusta—dije—. Cuando escribo me siento inmortal —improvisé, nunca había hablado con nadie de este tema—. A mí me parece más difícil ser escritor a los cincuenta que a los dieciocho. Por eso admiro mucho más a Borges que a Rimbaud. En eso sí que tienes razón. Los escritores que lo han sido a los cincuenta es porque no han pasado nunca de los veinte, gente inmadura, sin callo, sin experiencia. Y eso sí que es difícil. Que la vida te pase por encima sin dejar huella.

Me había preparado muy bien las posibles preguntas de Isaac cuando me entrevistara en la radio. La joven médico no disimuló su indignación.

—¿Cómo puedes decir eso? La vida es la huella que vamos dejando, o que nos van dejando.

—Eso será a ti —contesté, sin el menor ánimo de resultar antipática.

—Ya te alcanzará —sentenció mi compañera—; quieras o no, la vida te alcanzará. La bioquímica dice que a partir de los veinte el cerebro ya está formado, sus circuitos están prácticamente cerrados cuando se supone que empezamos nuestra madurez. Nuestro cerebro no avanza gran cosa con la experiencia, eso es verdad. Pero es imposible sustraerse a su efecto. En realidad, la vida se vuelve interesante a partir de los treinta.

—Bueno —dije; no estaba acostumbrada a hablar de temas muy profundos y me perdía un poco—, eso será si todo va bien.

—¿Y qué no va bien? —preguntó Belén, que depuso su tono irritado por una actitud más paternalista—. ¿Por qué no va a ir bien? La vida es más sencilla cuando se ve de forma natural. A tu edad todo parece complicado, pero luego las cosas se simplifican.

No me interesaban nada los vericuetos por los que nos estábamos metiendo. Ni estaba de acuerdo con Belén ni tenía ganas de explicárselo. Intuía que cualquier aclaración por mi parte sólo daría lugar a un nuevo malentendido, así que opté por callarme y seguir dando la impresión de ser una joven con problemas.

En realidad, yo vivía feliz con mis padres y mi hermana, escribir poemas era para mí un modo de rezar, aunque eso no pensaba decírselo a Isaac Alcázar, no pensaba hablar de Dios en la entrevista. No fue de un día para otro, sino de un modo gradual, como yo dejé de hablar con Dios, como a un novio al que se deja de ver. Así se quedó Dios a un lado en mi vida, y su lugar lo ocuparon los poemas, cierta creencia de que con la escritura podía sacarme de encima tanto las alegrías como las penas, porque también las cosas buenas molestan; a veces, lo que más.

Excepto mi propensión a las enfermedades y al refugio de la cama, la vida para mí, a los veinte años, no era difícil ni complicada. Sólo en una ocasión, que yo recuerde, me opuse a la autoridad materna, si se podía llamar así aquella indolente presencia que era mi madre, que nunca decía nada ni preguntaba nada. Era la época en que mis relaciones con Dios empezaban a enfriarse. Mi madre estaba sentada en el sofá viendo la televisión. Yo la contemplaba. Mi madre era feliz allí, viendo la televisión junto a su hija, y a mí no se me ocurrió otra cosa que alterar aquella paz familiar.

—Oye, mamá.

—Qué.

—¿Qué pensarías si me quisiera meter monja?

Mi madre me miró con tristeza.

—¿Por qué dices eso ahora?

—Por nada, te pregunto.

—No sé, hija... me daría pena.

Y mi madre se puso a llorar, sin saber qué decir. Sólo la había visto llorar de rabia. Aquéllas eran otra clase de lágrimas.

—Pues no tienes derecho a meterte en mi vida —empecé—, aunque seas mi madre eso no te da ningún derecho sobre mí. No tienes que sentir pena, y mucho menos llorar. Yo haré con mi vida lo que me dé la gana.

Nada estaba más lejos de mi intención que hacerme monja, ni siquiera sabía por qué decía semejante barbaridad, pero lo dije y me quedé tranquila, viendo la televisión al lado de mi madre, que simplemente respondió:

—Ya lo sé, África, ya sé que no puedo hacer nada por ti.

Y se volvió a mirar la tele, obligadamente indiferente al destino de su hija, el que fuera.

Por lo demás, yo disfrutaba con mi rutina de todos los días. Durante la semana iba y volvía de la universidad, los viernes y sábados bailaba en la discoteca, y, cada vez más a menudo, procurando la soledad en un piso de cuatro habitantes por ochenta metros cuadrados, escribía.

Pero no iba a decirle aquello a Belén. Estaba segura de que aquella vulgaridad acabaría por resultarle sospechosa a mi compañera de viaje, que estaba empeñada en leer en mis ojos la partitura de un desencanto cruel.

—Ya verás como con el tiempo todo te parecerá mejor —me aseguró, mientras el coche corría llanura adelante—. No mucho mejor, pero sí un poco mejor. Todo es un poco mejor que al principio.

—Seguramente —consentí, dispuesta a asumir lo que viniera.

—Y en esa vida —me explicó Belén, dejando escapar por su voz un tono de reproche— te tropezarás con gente que, a pesar de ser mayor que tú, todavía sigue «pensando», aunque no te lo creas. No mucha, pero alguna.

—Si yo no digo que no —repuse, completamente arrepentida de haber conducido la conversación por aquel camino—. En realidad me alegro de conocerte, de verdad, pero no tengo ningún interés especial en conocer a nadie.

Mi acompañante se giró hacia mí y en su rostro había una tremenda seriedad.

—Alguien te ha hecho mucho daño —me dijo de pronto—. Tú ni lo sabes, pero alguien te ha hecho mucho daño.

Me quedé pegada al asiento sin saber qué decir. Me entraron unas ganas locas de reír, pero me contuve para no herir los sentimientos de mi acompañante, pues estaba claro que hablaba en serio. Luego preferí permanecer callada. No sabía por qué, tenía la impresión de que no debía llevarle la contraria, aun a riesgo de quedar como una pobre imbécil que no sabe si le han hecho daño.

—Bueno —dije en seguida—, la verdad es que no me apetece mucho lo de la radio, ¿sabes?

Belén se había puesto a leer un libro y volvió su atención a mí como haciendo un gran esfuerzo para separar su mirada de aquellas páginas.

—Me tienes que decir cuándo sale. Me gustará oírte —dijo, y se volvió a la lectura, dando por zanjada aquella conversación.

—Me tienes que dejar tu teléfono —dije, en son de paz—, así me podrás decir lo que te ha parecido.

Belén se sumió en la lectura de unas páginas que no me atreví a espiar. Me puse a mirar al conductor, que en todo lo que llevábamos de trayecto aún no había mostrado de su rostro más que el perfil, y pensaba que si algún día me convertía en escritora, quería ser como aquel hombre, capaz de transportar a la gente de un sitio a otro sin rechistar, sin necesidad de entablar conversación con los pasajeros para sobrellevar mejor la soledad de su trabajo. Es muy placentero que alguien te conduzca por parajes insólitos, pensé, aunque para ello un desgraciado tenga que pasarse el día en silencio escudriñando la carretera. Hay trabajos que exigen cierta sordidez. Si yo fuera escritora, pensé, me gustaría ser como este conductor, inexistente e intratable; es la única manera honrada de llevar a la gente de un lado a otro sin engañarles. Y con estas disquisiciones me sobrevino una clarividencia mezclada con cierta superstición: no tenía que haber aceptado la invitación de la radio. A esas horas estaría en mi casa escribiendo poemas y ahora estaba allí, perdiendo el tiempo de mala manera y sin saber muy bien lo que me esperaba.

El viaje transcurría sin incidentes. Pero estos pensamientos y el simple hecho de que aquel coche rodara sin parar me proporcionaban una intensa excitación. Por momentos, en mi mente se producía una aceleración que se superponía al ritmo lento y constante del viaje. Era como una taquicardia del cerebro. Estaba acostumbrada a esta sensación, que se asociaba a las circunstancias más dispares y que remitía del mismo modo, sin avisar. Era un poco desagradable, porque por unos segundos me convertía en una especie de animal de carga arrastrando el pesado fardo de lo que sucedía a mi alrededor, pero cuando esta sensación se disipaba no dejaba en mí ninguna huella, ningún malestar. Otra cosa muy diferente eran las bajadas de presión, que siempre anunciaban un desmayo, aunque en los dos últimos años me había acostumbrado también a eso. Cuando notaba que la sangre descendía de nivel procuraba sentarme en el suelo para no caer, inclinaba la cabeza hacia abajo y, si no llegaba a controlar el desvanecimiento, al menos evitaba el golpe. Hacia ese tema derivó la conversación con mi compañera de viaje. Siempre he sentido una gran admiración por las explicaciones de la ciencia.

—Son disfunciones de la edad —contestó Belén, que ahora se veía asediada por mis preguntas y definitivamente decidió cerrar el libro—, cuando tengas cinco años más ya nada de eso te pasará. Tu organismo se habrá consolidado.

Luego caímos ambas en una especie de sopor que se disipó cuando el autobús empezaba a entrar en Madrid. Vi cómo mi compañera preparaba el equipaje y recogía todas sus cosas; yo hice lo mismo. Antes de que el coche entrara en el hangar oscuro de la estación, Belén me dio una tarjeta con su dirección y su teléfono.

—Ha sido un placer conocerte —dijo—, quédate con esto, por si necesitas cualquier cosa. Que te salga bien lo de la radio.

Sentí una especie de vértigo cuando la vi desaparecer en

medio de la gente. Es verdad que no tenía ningún interés en conocer a nadie, y todo cuanto Belén decía me parecía muy equivocado, y, sin embargo, me apenó verla marchar.

Mis tíos tenían que estar esperándome al pie del autobús, pero no los vi. Esperé un tiempo prudente, hasta que algunas miradas empezaron a posarse en mí. Entonces me dirigí a la cabina más cercana y llamé a mi casa. La voz de mi madre me pareció preciosa, la de una mujer interesante. Se había producido un equívoco absurdo. Mis tíos habían ido a esperarme a la estación de tren, convencidos de que había hecho el viaje en coche-cama, y aún tardarían un tiempo en atravesar la ciudad para recogerme en la estación de autobuses, donde los debía esperar.

—No te preocupes de nada —le dije a mi madre—. No hace falta que vengan a buscarme. Estoy con una amiga, me quedaré en su casa.

En mi voz debía haber una seguridad total, porque mi madre no rechistó. Después de la llamada de un espíritu no hay nada más lícito que abandonarse al destino, y, en todo caso, que mis tíos no estuvieran en su puesto quizás quería decir algo. Miré a la gente desde la cabina. No estaba dispuesta a permanecer en aquel sitio ni un minuto más. Ya no quedaba rastro de Belén por ninguna parte, pero yo la veía en cada individuo. Ya tenía ganas de conocer su casa. Le daría tiempo a llegar y entonces la llamaría. Mientras tanto se me ocurrió llamar rápidamente a Isaac Alcázar. También él me podría alojar. Tenía el teléfono de su domicilio y marqué. Al otro lado oí una voz neutra, formularia. No tuve ni que preguntar por él.

—Residencia del señor Alcázar —contestó un hombre.

—Oiga —pregunté—, ¿podría hablar con Isaac, por favor?

En mi voz había la docilidad de alguien que está en la calle a las doce de la noche, pero eso le pasó desapercibido a mi interlocutor.

—El señor Alcázar —rectificó el mayordomo con un retintín celoso— está ocupado en estos momentos. ¿De parte de quién?

No sé en qué podía estar ocupado Isaac Alcázar a aquellas horas, a menos que estuviera durmiendo. El trato de señor y la existencia de un mayordomo me desconcertó.

—Dígale que soy África, y que estoy en Madrid.

Antes de que terminara la frase, aquella voz fría se volvió diligente, como si el hombre estuviera advertido de mi llamada.

—Ah, excúseme, ahora mismo le aviso.

Me quedé a la espera y en seguida oí la voz de Isaac. Era ronca y brusca, como si le hubieran despertado de un sueño pesado. No tenía nada que ver con la voz diligente y diáfana que hacía dos semanas me había llamado a mi casa de Armor. Por un momento pensé que me había equivocado de teléfono.

—¿Dónde estás? —me preguntó, casi recriminándome.

Iba a decirle que estaba allí, en una cabina telefónica, esperando a que alguien viniera a rescatarme, pero, dada la hora que era y una vez oído su tono de voz, preferí apañármelas por mi cuenta.

—Mira, voy a estar en Manoteras, en casa de una amiga —dije, leyendo la tarjeta que me había dado Belén.

—Un barrio un poco peligroso, ¿no? —fue todo lo que comentó Isaac, que parecía tener prisa por volver a su cama—. Ven mañana a tomar café. Lanuza, 33. Te pago el taxi.

Su acento era el de alguien acostumbrado a mandar, aun en medio del sueño.

—De acuerdo.

Colgué. La hosquedad de Isaac, superpuesta a la dulzura de mi madre, me apuró, como si dos cosas tan dispares no pudieran acontecer una a continuación de la otra, como si no pudieran salir ambas por el mismo agujero. Sin pensarlo dos veces, tomé un taxi en dirección a la casa de mi reciente amiga. Sin duda hubiera sido más fácil esperar a mis tíos o pedirle alojamiento a Isaac, antes que dirigirme a tientas a la casa de Belén. Pero di por sentado que me recibiría y que hasta se alegraría de verme. De hecho, ni siquiera la telefoneé. Belén me había dado su tarjeta con confianza, y no lo pensé más. Me metí en un taxi y me dispuse a disfrutar de lo que el azar había preparado para mí, del espléndido espectáculo de la ciudad a esas horas, de las avenidas surcadas de coches que iban de un lugar a otro como si algo sucediera de verdad en cada sitio. El taxista me conducía a buena marcha y en silencio. Se me ocurrió preguntar:

—Me han dicho que Manoteras es un sitio peligroso.

El hombre no volvió la cara.

—Gallega, ¿eh?

—Ya ve... —me limité a contestar.

—Gente sumisa —dijo el taxista—, me caen bien. La pena es que no les gusta salir de su sitio. Ahora ya no es lo mismo, claro. Ahora todo son negros y sudamericanos. Cuando empezábamos a vivir bien...

La conversación me animó.

—A nosotros nos gustan los negros —dije—. En mi pueblo hay muchos. Vienen para trabajar en el mar. Los que no nos gustan son los asturianos ni los madrileños.

—Sois raros los gallegos.

—Somos humildes —contesté, y me entró una especie de fervor de clase—, como los negros. Somos una raza esclava.

—Pues ahí tienes a Franco, y a Fidel.

—Ésos no son gallegos —contesté—. Los gallegos no somos nadie. ¿O es negro Mandela, o Michael Jackson?

El taxista se estiró sobre la esterilla de bolas, como agradeciendo la conversación. Encendió un cigarrillo.

—¿Fumas? —me invitó.

—Bueno.

Tomé el cigarrillo y ambos nos callamos, hasta que el conductor dijo:

—Manoteras... no está mal. Les han puesto una unidad de rehabilitación de toxicómanos. Por eso se quejan, pero en algún sitio tienen que meter a esa gente, ¿no? Yo no he tenido hijos, menos mal.

Hacía tiempo que habíamos dejado atrás las grandes avenidas y ahora atravesábamos calles desiertas e idénticas entre sí, distribuidas en cuadrículas donde se erguían edificios de siete pisos, todos iguales.

—Ya hemos llegado.

Pagué y me bajé frente a la casa de Belén. El taxista se quedó esperando. Llamé al portero automático y, cuando se abrió la puerta, el taxista emprendió la retirada. Aquel hombre me cayó bien.

Belén estaba vestida con un pijama de color azul; se había levantado de la cama para abrir. Sólo cuando la vi frente a mí me di cuenta de lo que acababa de hacer, de lo extraño de mi situación, llamando a una puerta desconocida a la una de la madrugada en un barrio periférico de Madrid. Pero durante el tiempo que tardé en subir la escalera, Belén ya había preparado un juego de sábanas y una toalla.

—Espero que no te importe —me excusé—, no vinieron a buscarme mis tíos y se me ocurrió venir aquí.

—¿Has llamado a tu casa? —me preguntó—. Puedes hacerlo, si quieres. —Y me indicó el teléfono—. Aquí está el lavabo, y ésta es tu habitación.

Me pareció que Belén actuaba con una amabilidad fría. No se podía decir que se alegrara de verme. Bastante hacía, supongo, con no sorprenderse. La habitación era un pequeño cuarto sólo con una cama. Parecía que nadie había dormido nunca allí.

Le conté que ya había hablado con mi madre, e iba a explicarle que al día siguiente me iría a casa de mis tíos, pero no fue necesario. Belén no se mostraba especialmente intrigada por esta cuestión. Más bien tenía ganas de volverse a dormir.

—Ahora te dejo, yo tengo que levantarme mañana muy temprano. Que tengas buenas noches.

Y en seguida desapareció en la habitación del fondo, que estaba a oscuras.

El recibimiento no podía ser más gélido, pero me gustó aquella forma de hospitalidad. Al fin y al cabo, Belén era médico, pensé. Aun así, me costó desenganchar la mirada de las paredes blancas y el techo para ponerme a hacer la cama. A esas horas en mi casa también estarían durmiendo. Aunque estaba cansada del viaje no me apetecía nada cerrar los ojos y esperar a que fuera de día. Me lo impuse como una obligación. Intenté dormirme, pero estuve un buen rato recordando lo que había hecho esa semana antes de coger el autobús. Sobre todo me acordaba de mi hermana. La muy imbécil se había presentado a un concurso de miss discoteca y lo había ganado. Yo estaba orgullosa de ella, pero no había querido acompañarla con el promotor a comprarse el traje que había conseguido como premio. Mi hermana había aparecido en la casa con un Rodier que le echaba encima diez años. Ahora todo aquello me servía para irme adormeciendo con una sonrisa en los labios, en una cama extraña, en la casa de una persona a la que acababa de conocer. Al día siguiente llamaría a mi hermana para saber lo que le había parecido el traje a mi madre. Estaba a punto de quedarme dormida cuando escuché gritos al otro lado de la pared.

—Idiota —escuché—, ya estoy cansada de aguantarte, a ver si te mueres de una vez.

Era una voz de mujer, una voz quebrada de anciana. No

era en la casa de Belén sino en la vivienda contigua. Al principio no le di importancia, pero los gritos se hicieron más fuertes, y los secundaron una tanda de golpes. Parecía que cayeran muebles.

—Así no, imbécil, agárrate con las dos manos... —oí de nuevo.

El hombre parecía tener problemas para moverse. Me imaginé a la mujer, al borde de la extenuación, intentando ayudar a su marido a levantarse, pero aún le quedaban fuerzas para vocear y amenazarle de un modo inaudito.

—Que no haya nadie en este mundo que pueda ayudarme... no se puede vivir así. Agárrate, hombre...

A continuación se oyó un gran golpe, como si ambos rodaran por el suelo. Me levanté para salir a ayudar, pero no llegué a abrir la puerta de la casa porque los gritos cesaron y la voz de la mujer recuperó una cierta normalidad.

—De ahí no pasas —escuché—, ahora a dormir, ¿eh? *Sen boíño e durme.*

Me quedé sorprendida de oír aquellas palabras en gallego. Aunque el contexto en que fueron dichas no podía ser menos halagüeño, no pude evitar alegrarme de oírlas. Me sonreí orgullosamente, como si aquellas palabras dieran carta de naturaleza a mi estancia en aquella casa.

Me aventuré a través del pasillo en busca del lavabo. Pasé cerca de la habitación de Belén. La puerta estaba completamente abierta. Sobre la cama había otra persona más; era el cuerpo desnudo de un hombre abrazado a ella. No sé si por mi sorpresa, o por su desnudez, tuve por un momento la impresión de que estaba muerto. Pero aparté en seguida esta idea. En la última habitación que me quedaba por registrar dormía un pequeño de unos siete años. Volví a mi cuarto y traté de conciliar el sueño, un tanto contrariada por el descubrimiento que había hecho. Me pareció extraño que Belén no hubiera aludido nunca a un marido y un hijo, aunque desde el autobús no habíamos tenido tiempo de hablar. Quizás su familia no era importante para ella. Estas consideraciones, y la vuelta al recuerdo de mi hermana vestida de Rodier, me hicieron olvidarme de la desazonante pareja de ancianos, del compañero de cama de Belén, y volví a conciliar el sueño.

DOS

Al día siguiente, cuando me desperté en Manoteras, ya no había nadie en la casa. Leí una nota que Belén había dejado en el espejo del lavabo y que me informaba de que encontraría una copia de llaves debajo de la alfombra, pues hasta el anochecer ella no regresaría. El mensaje era escueto y amable, lo que me causó una gran tranquilidad y me hizo posponer la llamada a mis tíos. Nunca había estado sola en una casa ajena. Me resultó agradable que Belén, sin conocerme de nada, me confiara las llaves. Me metí en la ducha y pensé que había estado muy acertada instalándome allí. Mientras caía el agua sobre mi cabeza me relajé; sólo oteaba de vez en cuando la nota amarilla que me tutelaba desde el espejo, y sonreía. Salí del cuarto de baño ya vestida. Aunque Belén había sido muy amable, pensé que bajaría al primer bar del barrio para desayunar y hacer un par de llamadas. Primero llamaría a mis tíos y después hablaría con Isaac, pero al pasar por la cocina vi a un hombre sentado a la mesa.

—Hola, soy Alberto.

El hombre se presentó. Me sonrojé al imaginar que era el mismo que dormía por la noche, desnudo, junto a Belén. Claro que ahora estaba vestido, cubierto con un albornoz que parecía más bien de mujer.

—Tú debes de ser África. —Y se levantó para darme un

par de besos—. Ya me ha dicho Belén que os habéis conocido en el autobús. Siéntate, ¿qué quieres para desayunar?, hay café o té.

Él todavía no se había afeitado. Leía el periódico mientras yo permanecía de pie en el pasillo.

—Gracias, pero voy a salir —me apresuré a decir, sin acabar de encontrar el punto medio entre la discreción y el agradecimiento—, tengo que hacer un par de llamadas.

Alberto ya se había levantado para preparar una taza de desayuno y unos cubiertos. Por su modo de moverse en la cocina, con resolución pero sin ganas, daba la impresión de que alguien le había indicado las instrucciones.

—Toma algo primero, mujer —dijo—, no encontrarás nada abierto en este barrio hasta las diez. Ah, y puedes llamar desde aquí, para eso está el teléfono.

—No quisiera abusar —dije, y me atreví a usar el plural—, ya bastante amables habéis sido. Espero no haber molestado anoche. Sobre todo por el niño.

Alberto se rió de un modo excesivo, pero con este gesto su rostro desplegó un gran atractivo. Me pareció mucho más guapo que Belén. Uno de esos casos en que la belleza la ostenta el hombre y la mujer va a la oficina.

—Oh, no te preocupes —dijo—, los niños duermen como ceporros. Aunque les echen la casa abajo no se enteran.

—¿Es que tenéis más? —pregunté. Me quedé, frente al cubierto vacío mientras Alberto vertía café y leche sobre mi taza.

—Es de Belén, y sólo es uno, menos mal —Y volvió a reírse, aunque ahora de un modo más contenido—. Me ha dicho Belén que eres escritora —dijo, cambiando de conversación—. Nosotros tenemos una revista. Podrías mandarnos un poema. Porque escribes poemas, ¿no?

Sin llegar a saberlo, intuí que la revista era sólo de Alberto, como el hijo lo era de Belén, y que aquel «nosotros» no la incluía.

—He venido por poco tiempo —dije. Aunque Alberto estaba en bata y zapatillas, tuve la sensación de que su situación en aquella casa era también transitoria, lo que establecía entre nosotros una especie de sintonía—. Me han invitado en el programa de radio de Isaac Alcázar.

Alberto se me quedó mirando, sorprendido.

—¡Vaya! —dijo—. Pues sí que debes de ser buena. Es el mejor programa cultural de este momento. Conozco bien a Isaac.

—¿Ah, sí? ¿Os conocéis? —No me atreví a adelantar ningún juicio sobre Isaac, al que todavía no había visto.

—Bueno —se explicó Alberto, sin darle más importancia a este hecho—, Isaac y yo fuimos más amigos de lo que ahora lo somos, en realidad. Es un buen profesional. Te tratará bien.

Estuve a punto de confesarle que me apetecía más bien poco participar en el programa de radio, y que la impresión telefónica que tenía de su amigo era más bien hostil.

—¿Y de qué os conocíais? —insistí, intrigada.

Aunque las preguntas no dejaban de halagarle, noté de inmediato que Alberto evitaba dar una contestación.

—No tiene nada de particular —dijo—. Cuando lleves varios días aquí habrás conocido a bastante gente, y te parecerá que los conoces de toda la vida.

Y se paró a pensar un momento antes de seguir.

—Bueno, en realidad Isaac podía haber sido mi cuñado —dijo, lanzando una sonrisa entre tímida y satisfecha—. Yo estuve mucho tiempo enamorado de la hermana de su mujer.

Alberto debía de andar por los cuarenta, o quizás todavía no. Para mí ya estaba claro que aquélla no era su casa, aunque se moviera por ella con total tranquilidad. En seguida me explicó que había conseguido llegar a aquella edad sin establecerse en ningún sitio, lo que a todas luces consideraba un lujo. No sé por qué me contaba a mí su pasado sentimental, pero le escuchaba encantada. Esta actitud indolente me producía una mezcla de sentimientos sobre los que prevalecía su atractivo, una cierta belleza que no era física, pues su aspecto era más bien descuidado, sino producto quizás de ese mismo abandono y de su inconstancia de carácter. Había en él algo que no era premeditado, que caía bien.

—¿Y qué pasó con ella? —me atreví a preguntar.

Alberto se levantó y encendió un cigarrillo. Noté en su cara un signo de interrogación, como si él mismo dudara de la respuesta que debía dar.

—¿Con la cuñada de Isaac? —preguntó, como si todo hubiera sucedido hacía mil años—. Se volvió loca. Eso tampoco es raro en esta ciudad —dijo, y a continuación me indicó el teléfono, cambiando de conversación—. Tenías que llamar a tu casa, ¿no? Puedes hacerlo desde aquí, de verdad, yo ya me voy.

Me quedé sola en la sala mientras Alberto abría los grifos del cuarto de baño y cerraba la puerta. Me quedé pensando en lo que Alberto me acababa de decir y en aquella casualidad. Nada más llegar a Madrid había ido a parar a una casa donde conocían a Isaac. Empezaba a hacerme gracia estar allí, y Alberto tenía razón. Apenas llevaba doce horas en Madrid, nueve de las cuales había permanecido dormida, y ya me sentía del barrio. Traté de distraerme y quise llamar a mis tíos, pero no lo hice. Iría directamente a visitarlos y así no tendría que comprometerme a comer con ellos. Había quedado a las cuatro para tomar café con mi anfitrión, Isaac Alcázar, y en mi interior ya había decidido que, por el momento, mientras fuera posible me alojaría en la casa de Belén. Tanto ella como Alberto me parecieron buena gente. Ahora, todo el edificio estaba en silencio, sólo se oía el chorro de la ducha de Alberto. Yo marqué el teléfono de mis padres y las llamadas sonaron en Armor hasta tres veces.

—Para cuatro días no vale la pena que me cambie de casa —le dije a mi madre—, estos amigos son muy simpáticos. Y tenemos vecinos gallegos, ¿sabes?

Pensé que esa información acabaría de tranquilizarla. Pero mi madre, al otro lado del teléfono, no parecía necesitarlo.

—Pásalo bien —escuché, y en aquella voz había una viveza inusitada, como de madre que asume el destino de su hija monja—, aquí todos confiamos en ti.

Colgué sin poder evitar un erizamiento de la piel. Me di prisa por salir de la casa antes de que Alberto volviera a aparecer, para no ser más invasiva de lo necesario. Cogí la copia de llaves que Belén me había dejado debajo de la alfombra y en seguida estuve en la calle.

El barrio no podía ser más tranquilo. Un sol potente irradiaba mis pasos con su luz. Sentía su calor. No había nadie por las calles a esa hora; ni siquiera pasaban coches. Todo me pareció ordenado y muy limpio. Todos los habitantes de Manoteras estaban en sus trabajos, como Belén. Hasta que en medio de aquella quietud estallaron como un trueno los gritos quebrados de una mujer.

—¡Sinvergüenza! ¡Sinvergüenza!

Aquellos gritos me sobrecogieron. Miré hacia arriba y vi en la ventana vecina a la casa de Belén a una mujer anciana vociferando y manoteando entre destellos, como queriendo librarse de los haces del sol.

—Sí, tú, *non axudades a unha pobre,* ¡sinvergüenza!

Apreté el paso hasta desaparecer del campo de visión de la anciana, crucé una esquina y dejé de verla.

La visita a mis tíos fue más breve de lo que esperaba. Me sorprendió lo poco que insistieron para que me quedara a comer. Mi madre los había llamado para decirles que estaba en casa de una amiga y que me quedaría allí. Después de una breve conversación con la que les puse al día de los éxitos de mi hermana en el concurso de miss, liberando con la risa el nerviosismo que siempre atenaza a aquellos por cuyas venas corre la misma sangre y cuyos caminos en algún momento se han separado, me di cuenta de que sólo hablaba yo y que mi tía, más que escucharme, aunque su rostro denotaba una ternura difícilmente enmascarable bajo la capa de maquillaje que lo cubría, en realidad parecía esperar a que me callase. Era el rostro del silencio, y obedecí. Me quedé callada y, entonces, mi tía, afectando una educación ritual, me condujo por el pasillo hacia la salida.

—Ahora no quiero entretenerte más. Ya me ha dicho tu madre que tienes muchas cosas que hacer. No nos debes ningún cumplido —me dijo—, ya sabes que nos tienes siempre.

Y con aquello me despedí y me encontré de nuevo en la calle. En parte estaba contenta porque no tenía que dar cuentas a nadie. La libertad, que siempre había despreciado como un artilugio innecesario que sólo se otorga a los desgraciados que no pueden acceder a otra clase de beneficios, se me revelaba ahora como un don. Vagaba por las calles al sol, podía o no coger un autobús, incluso podía ir a ver cuadros a algún museo. Tenía tiempo. Todo aquello, al final, formaría parte de un breve episodio que podría contar al volver a mi casa, a la rutina deliciosa con mis padres y mi hermana. No estaba segura, sin embargo, de querer contar el encuentro con mi tía. La visita me había causado un extraño amargor. Algo en su comportamiento destilaba una tristeza incontenible. Me acordé del taxista que me había llevado hasta Manoteras. Quizás aquel hombre tenía razón. La gente no tendría que salir nunca de su casa.

En estos pensamientos transcurrieron las horas que quedaban para ver a Isaac. Llevaba apenas medio día en Madrid cuando se acercó la hora de la cita. Aunque no quería reconocerlo, aquel encuentro me causaba una gran tensión. Después de trasladarme en un bus desde el parque de las Avenidas, donde vivían mis tíos, hasta Manuel Becerra, cogí un taxi que me acercara a la dirección convenida.

El taxista se paró ante una casa que era una gran mansión. Se erguía en medio del caos urbano, en pleno centro de Madrid, como una joya dentro de un estuche nacarado de camelias y buganvillas. En un primer momento no entendí cómo aquella casa podía pertenecer a un locutor de radio; quizás, como muchas construcciones en la ciudad, el lujo de la fachada sólo era un cascarón bajo el que se alojaban pequeños apartamentos de propiedad horizontal. Pero en seguida vino a desmentir mi impresión un joven impecablemente vestido con un traje negro cruzado que salió al encuentro del taxi. Supuse que era el mismo que me había atendido al teléfono. El joven me indicó la entrada y me dejé conducir a través de un jardín hacia la puerta, y luego caminamos hasta una sala perfectamente decorada pero salpicada de cajas de cartón y embalajes de plástico, y allí me quedé a la espera. Entonces apareció Isaac. Era un hombre de fuerte complexión, ancho de caderas y hombros, y no muy alto. Llevaba barba de dos días y se veía poco aseado. Su aspecto era en general el de un camionero, y se ajustaba bastante al ronco tono de voz que tenía por teléfono. Sólo desentonaban las gafas de leer, también gruesas y cuadradas, por encima de las que me miró, riéndose inseguramente sin conseguir ser simpático. Aquella risa muda, que le echaba un poco la cabeza hacia atrás, era todo su recibimiento. Pero ni aquella mansión ni aquel cuerpo parecían pertenecer a un locutor de radio.

—Así que tú eres África. Siéntate, estás en tu casa.

—Gracias.

—Bueno, mientras no nos echen —puntualizó Isaac con un gesto pícaro, y volvió a verse convulsionado por la risa.

—Es grandiosa —dije, sin saber de qué me hablaba. Pero agradecí esta primera muestra de complicidad. Tenía poco que ver con el locutor distante que yo me había imaginado.

—Lo mejor es la biblioteca —continuó.

Y me llevó hasta una sala cuadrada y completamente forrada de libros, archivos, revistas y dossiers perfectamente organizados. No se interesó por mi viaje ni por mi alojamiento en la ciudad. Por mi parte, no se me ocurrió en ningún momento hablarle de Alberto. Estaba claro que entre el barrio de Manoteras y la casa de las buganvillas había una diferencia, y yo no la iba a recorrer. Si Alberto e Isaac se habían tratado en alguna ocasión, no parecía que ahora eso tuviera la menor importancia. Aunque no evité imaginar a Alberto por aquellas salas, que más le cuadraban a su porte que al de Isaac, y a éste en Manoteras, como marido y padre de dos hijos, obrero del cinturón industrial. La vida tiene esas cosas. Sitúa a verdaderos príncipes en casas de alquiler y pone a vivir de rentas a un sapo, y el sortilegio de la inversión nunca se produce. El sortilegio de la vida es ése, que las cosas estén a menudo dispuestas al revés. Isaac y su programa podían ser muy importantes, pero parecía estarme esperando para enseñarme su biblioteca. En seguida me aclaró lo que a mí no me acababa de encajar.

—En realidad, en este cuarto vivo yo —dijo, mirando las paredes cubiertas de libros— día y noche; el resto de la casa la ocupa mi mujer, próximamente mi ex mujer, creo. Menos lo que hay en este cuarto, todo le pertenece a ella. Es millonaria —recalcó con un gesto despectivo—, pero me ha dado tiempo para organizar mi marcha, así que nos podremos tomar el café.

Y volvió a reírse como un orangután y, acto seguido, salió precipitadamente de aquella sala, como si le inquietara permanecer mucho tiempo allí. Visto a la luz de su comprometida situación, Isaac empezó a caerme bien.

—Así que eres poeta —continuó, conduciéndome de nuevo a la sala—. ¿Y qué vas a hacer en la vida?

—Novelas, quizás.

—Ya. Con las novelas se puede comer.

—Veremos.

Estábamos de nuevo en la sala de los embalajes. A través de las cajas de cartón, el muchacho del traje apareció con el café en una bandeja de plata. Sus ademanes eran de una formalidad excesiva.

—Aquí tiene su café, señor Isaac.

—Gracias, Peter. Mira, te presento a una poeta, África Cabana. Es que a Peter le apasiona la poesía —me aclaró.

—Encantada —extendí la mano, pero Peter se limitó a hacer una ligera inclinación de fámulo.

—Se sabe de cabo a rabo los sonetos de Shakespeare, ¿verdad, Peter?

—Bueno, señor, es una exageración.

—No, de verdad, puedes preguntar lo que quieras, es una enciclopedia andante.

Aunque Peter se mantenía firme esperando la acometida de no se sabe qué preguntas, no me atreví a entrar en el concurso. El director de orquesta no insistió, Peter se retiró discretamente y entonces asomaron unas botas de *cowboy* que llevaba debajo de los pantalones de vuelta impecable, y reparé en el tupé de su pelo, a juego con unas enormes patillas que llegaban en forma de hacha hasta las comisuras de los labios.

—Qué moderno —observé.

—Le permito algunas cosas —aclaró Isaac—. No puedes borrar la personalidad de un individuo, sobre todo si es esquizofrénico.

Todavía no estaba segura de que aquellos dos no estuvieran jugando a impresionarme. Isaac me habló con toda naturalidad del pequeño problema de Peter.

—Tiene sus cosas, pero es un buen chico —dijo—, no es un moderno cualquiera, no te equivoques. Peter nunca sale por la noche. Se levanta con el sol y se va a esperar a que abran la Biblioteca Nacional, y allí estudia y lee toda la mañana hasta que entra a trabajar para mí. Es un auténtico banco de datos. Le pago por eso. Me sirve, pero también me informa, y me defiende. Es cinturón negro de judo. No podría vivir sin él. Oye, ¿no crees que le has dejado un poco frustrado?

—Perdona —saqué del bolso mi cuaderno de poemas. El descubrimiento de Peter me había dejado descolocada y no sabía por dónde continuar—, esto es para ti.

Isaac se lanzó al cuaderno con impúdica voracidad, como un vagabundo ante una botella de licor.

—Es tan difícil escribir —dijo sobando el cuaderno, y tan raudo como lo había tomado así lo dejó, sin haberlo siquiera hojeado—. ¿Y cómo piensas ganarte la vida? —insistió—. Bueno, yo puedo proporcionarte alguna colaboración en revistas femeninas... pagan bien. Madrid es una ciudad cara.

«Y pequeña», pensé. Pero no lo dije. En medio de aquel contexto, con Stoneman trayendo y llevando copas, sorteando cajas de mudanza que se apilaban sobre alfombras indias, con Isaac pontificando sobre lo que se debe escribir o no, mientras su mujer quizás nos oía y esperaba en algún rincón de la casa a que nos fuéramos de una vez, me encajó perfectamente que una cuñada suya se hubiera vuelto loca. Ahora no me extrañaba que cualquiera hubiera puesto tierra por medio con aquella casa, si era cierto que Alberto había tenido que ver alguna vez con ellos. No sé por qué imaginé a la antigua novia de Alberto rondando por el piso de arriba, mientras Isaac se hacía el simpático y se convertía en mi benefactor, un benefactor a punto de ser desahuciado. No sabía si Isaac pretendía ser simpático o antipático, pero sus esfuerzos eran inútiles. Cada frase suya parecía destinada a eliminar los efectos de la frase anterior. Su actitud conmigo irremediablemente me hacía gracia.

—He venido por cuatro días —dije—. Espero no tener que ponerme a trabajar.

Isaac abrió los ojos escandalizado, hasta parecerse increíblemente a la máscara de la tragedia.

—¿Cuatro días? ¿Y qué piensas hacer en cuatro días? No tiene ningún sentido venir a Madrid por cuatro días. —Y sus ojos, ahora, parecían buscar por las paredes la solución de un problema con el que no se había contado—. Bueno, ya buscaremos un lugar para ti —resolvió—, si las cosas no funcionan siempre puedes poner copas en el bar.

Me reí. La seriedad impostada de Isaac y su actitud histriónica me desarmaban.

—¿En qué bar? Ahora, los escritores ya no tienen que venirse a Madrid. En Galicia también hay libros... y bares. Además, ni siquiera estoy segura de querer ganarme la vida con esto.

—Ya lo supongo —dijo Isaac con un tono cómico y acechante—, por eso estás aquí.

Esa tarde fue lo único que supe de él, que tenía un bar y que estaba en proceso de separación. Por su acento era evidente que era andaluz, pero no quiso decir de dónde. Además del trabajo en la radio escribía críticas de arte en alguna publicación. Yo no entendía para qué necesitaba defensa personal un crítico de arte, y no lo pregunté. Acababa de llegar a Madrid y estaba dispuesta a asumir todas las excentricidades. Intenté llevar la conversación al terreno de Isaac, pero éste no se dejaba interrogar fácilmente. Parecía que le molestara existir. Cada vez que se veía obligado a hablar de él interrumpía la conversación y llamaba a su mayordomo.

—Hace ya mucho tiempo que no hago crítica —rectificó Isaac—, pero hablemos de ti. —Y llamó a su asistente con aquel vozarrón de camionero—: ¡Stoneman!

En un segundo, Stoneman apareció, como si todo el tiempo hubiera estado tras la puerta.

—Bueno —dijo Isaac—, ahora quizás estés preparada para hacerle tu pregunta a Stoneman.

La conversación parecía agotada y, de un modo inconsciente, yo ya había preparado mi pregunta. Empezaban a divertirme aquellos dos. Stoneman, de pie, con las manos cruzadas a la espalda, esperaba ansioso el momento de contestar. No iba a ser una pregunta fácil, pero tampoco imposible para alguien que se pasaba todas las mañanas en la Biblioteca Nacional. Lancé al azar unos versos de Ossián:

—«De ti me acordaré. Sí, lo adivina
el corazón herido, y me lo dice...»

Stoneman se quedó un momento en silencio, inexpresivo, y de pronto contestó impertérrito:

—«Mi gallardo Shilric presto sucumbe.
¿Y qué será de mí si tú no existes?».

(Ossián, siglo III, Escocia.)

Isaac, en su sofá, festejaba el éxito de Peter con su risa muda. Me alegré de poder complacer a ambos con aquel juego, y dije de un modo un tanto forzado:

—Es increíble.

Pero no me parecía increíble, como nunca me lo ha parecido nada. Aunque, desde luego, resultaba emocionante que aquel tarado hubiera registrado en algún momento de su obsesiva vida aquellos versos que yo me había traído como biblia desde la casa de mis padres. Stoneman tampoco celebraba su acierto. Era un señor.

—Toma, te lo has ganado.

Isaac le lanzó mi cuaderno a Stoneman y éste, sin perder ni un segundo, se sentó un poco retirado y comenzó a leerlo, como un perro con un hueso.

—Tenemos que publicar ese libro —dijo Isaac, dirigiéndose a mí y volviendo a adoptar un tono paternalista—, déjame que me lo piense, ya te diré algo. —Y de nuevo se agitó, como si deseara desaparecer del universo—. Ahora tengo que seguir con mis embalajes. Llámame cuando quieras, y pídeme lo que necesites. Si ya no estoy aquí, puedes dejar tu recado, porque me enteraré.

—Puedes quedarte con eso —contesté, refiriéndome al manuscrito—, yo tengo una copia. Lo he traído para ti.

Y me levanté de la butaca en la que estaba sentada para irme. Aún no habíamos hablado nada del programa.

—El programa de radio es este viernes, ¿no? —dije, esperando una confirmación. Isaac se volvió hacia mí.

—¿Qué programa? Ah, sí, el programa, claro. Olvídate del programa —dijo sin más aclaración—, no se hará.

Creo que me puse blanca.

—¿Ah, no?

Isaac me miró con severidad.

—Claro que no. No se hará.

—¿Y quieres explicarme qué hago yo aquí?

—¿Y qué quieres que haga yo?—repuso Isaac—. Ya que has venido intentaré que te paguen el viaje por lo menos. Cualquiera en tu lugar aprovecharía la situación.

—¿Para qué? —pregunté, sin salir de mi asombro—. ¿Aprovecharme de qué?

—¿Es que no tienes ningún interés? —gruñó Isaac—. Madrid está lleno de misterios, de maravillas. Cuando yo tenía tu edad, esta ciudad fue para mí como el cielo. Piérdete por ella. Algún día me agradecerás haberte traído.

Isaac parecía a punto de estallar. Ya lo había hecho antes por teléfono, sin siquiera vernos las caras, y empecé a pensar que, quizás, el único motivo de mi absurdo viaje era darle a aquel hombre la oportunidad de sacar a flote toda la irritación estúpida y latente de su alma.

—Además, yo no tengo la culpa. Lo peor es para mí. Tú te das una vuelta y te vuelves a tu casa. Pero yo me quedo aquí, sin casa y sin trabajo. Aquí no cuenta que lleves veinte años trabajando en la misma empresa; viene el político de turno y te vas a la calle —añadió.

—¿Y cuándo lo has sabido? Podías haberme avisado antes de venir. O ayer, cuando llamé por teléfono.

Isaac estaba francamente irritado.

—Ya te he dicho que lo siento. Yo no soy de mandar al cuerno por teléfono.

—No te preocupes —dije, más bien aliviada. Desde luego no iba a discutir con él—. Al menos nos hemos conocido; me alegro de que te hayan gustado mis poemas.

Salimos de aquella sala sorteando las cajas de libros. Stoneman continuaba embebido en la lectura del cuaderno.

—Peter, nuestra poeta se va.

Pero Peter no levantó la vista de las páginas.

para contarle lo que me acababa de pasar. Sentía que mi corazón palpitaba cada vez que el ascensor se ponía en marcha. Cuando dejé de oírlo descubrí la nota que había encima de la mesa del comedor. Era una nota larga, casi una carta, lo que me embargó de alegría aun antes de leerla. «Qué amabilidad —pensé— que una persona a la que apenas conoces se tome la molestia de escribir tanto en una nota.» Belén me informaba, con un estilo que había progresado de la frialdad del apunte del baño a la familiaridad de una carta de un amigo, de que Alberto, ella y su hijo pasarían el fin de semana en la Sierra, allí el niño se lo pasa muy bien, es feliz con los perros y respira aire limpio, decía el papel, precisiones que yo ya dudaba de que se dirigieran a mí pero que allí estaban, como si Belén me hubiera incorporado a su conciencia y tuviera la necesidad de informarme de estos pequeños júbilos. La nota acabó por ponerme la piel de gallina. Belén había dejado la casa llena de indicaciones amarillas. En la nevera había una ensalada de pollo para cenar. En el baño había una nueva toalla limpia. Si tenía frío, podía encender la calefacción detrás de la puerta de la entrada. Y debía llamar a mis padres para decir que me encontraba bien; tenía el teléfono inalámbrico en mi habitación, para que lo usara con total libertad. Realicé una llamada rápida. La voz de mi madre me tranquilizó. Estaba contenta de que estuviera en Madrid haciendo tantas cosas. Nada más colgar, el teléfono sonó de inmediato. Era Belén, desde el pueblo de la Sierra. Pero ni a una ni a otra les expliqué que no habría programa de radio. Todo el mundo parecía muy contento con mi vida y con el rumbo de las cosas y no veía yo por qué tenía que alterarlo. Cuando me metí en la cama me di cuenta de que mi habitación estaba arreglada. Alguien había cambiado el almohadón. Era muy agradable el tacto de la ropa nueva. Estaba cansada de haber caminado todo el día por la ciudad, así que decidí dejar la maleta para el día siguiente e intentar dormir.

Fue entonces cuando empecé a advertir un ruido que antes no había oído. Era como una respiración potente y dificultosa. Al principio pensé si sería mi vecino enfermo, pero era imposible que aquel potente estertor saliera de los pulmones de un ser humano. No parecía llegar a través de la pared sino del exterior, por las ventanas, como si un ser monstruoso agonizara allá afuera en medio del silencio y la noche. Me asomé para ver si descubría algo. Abrí la ventana y noté que el ruido sonaba cerca y lejos a la vez. Era un ruido demasiado potente para ser humano y demasiado imprevisible para ser mecánico. No era constante, y sólo yo parecía enterarme. No había ni una luz en todo el barrio, apenas el encendido eléctrico velaba por aquel monstruo ignorado en medio de la noche. Ahora oía a mis vecinos hablar serenamente, como si la tranquilidad hubiera vuelto a sus vidas. Todavía no estaban dormidos. La mirada de desprecio de la mujer me había dejado inquieta. Quizás necesitan ayuda, pensé. Y salí al pasillo, dispuesta a ofrecerme. Llamé a la puerta. Oí que la anciana avanzaba mientras hablaba con su marido.

—¿No oyes que están llamando? Voy a abrir, estate quieto un momento.

La puerta no se abrió del todo. La anciana habló conmigo por la rendija que dejaba la holgura de la cadena de seguridad.

—Qué quieres —dijo con un humor de perros.

—Soy la vecina de al lado —balbuceé—, sólo quería decirle que si necesita ayuda puede llamarme en cualquier momento. Estaré en casa.

La cadenita se descorrió. La mujer inclinó la cabeza

llena de bucles color violeta. Había ido a la peluquería esa tarde. Llevaba zapatillas de casa pero estaba correctamente vestida, como preparada para cualquier ocasión que pudiera presentarse. La casa olía a anciano limpio, recién bañado.

—Pasa —dijo—. ¿De dónde eres tú? Tú no vives aquí.

Su acento era profundamente gallego, pero no era ella la que estaba en tela de juicio.

—Soy gallega —dije, e iba a añadir «como usted», pero la mujer tampoco se mostró especialmente contenta con la coincidencia.

—Gallega... —se lamentó—, mi marido también lo es.

Atravesamos el pasillo modesto y pulcro y entramos directamente en el cuarto del enfermo.

—Míralo, ahí lo tienes.

No estaba claro que sus palabras fueran despectivas. En ellas también había orgullo y cariño. Desde la cama, la cabeza del anciano sobresalía apenas del embozo de las sábanas como un recién nacido. Su mirada era la de un hombre asustado, como si estuviera esperando la llegada de algo horrible.

—Hola —dije. Pensé que la novedad de mi presencia le animaría, pero no se inmutó.

—Ahora mismo lo acabo de bañar. Mira —dijo Julia, y lo destapó con un movimiento rápido de las mantas, dejando a la vista el cuerpo flaco de su marido, que llevaba un pijama claro de rayas—, está recién mudado, como una patena. Las monjas me ayudan a levantarlo. Si no fuera por ellas, no podría; les estoy muy agradecida. Es que yo también padezco de la espalda, ¿sabes?

Y a continuación se puso a enumerar una lista infinita de dolencias, referidas todas ellas por sus nombres clínicos. Pero no eran quejas exactamente; más bien parecía una exhibición de trofeos. La mujer estaba contenta de poder enseñármelos, como si yo fuera una enviada de un comité inspector. Cuando cesó la relación de enfermedades, me condujo por las otras estancias de la casa.

—Mira, ésta es la cocina —dijo, y entró en el pequeño refectorio dando pasos de baile, agarrada a una pareja invisible—, está todo muy limpio, como yo.

Con la misma rapidez me condujo hasta otro pequeño cuarto, donde había una cama y un armario que ella abrió con la potencia de un vendaval, dejando al descubierto una fila de vestidos colgados de la barra.

—¿Qué? —dijo, y se quedó esperando mi reacción—. Todos sin estrenar, ¿qué te parece?

Su cara estaba iluminada como la de una niña.

—Y aquí —dijo, conduciéndome hasta la sala, sin dejar de bailar con su pareja ficticia— veo la televisión. Mira. —Y la encendió y la apagó, dándole un beso a la imagen antes de que se desvaneciera.

—Todo muy bonito —dije, aunque esta consideración resultó superflua.

Cuando terminó el escueto recorrido de la casa, mi vecina abandonó sin contemplaciones a su pareja de baile y me llevó hasta la puerta.

—Ahora me voy a dormir —dijo, mirándose el reloj de pulsera—, a esta hora me acuesto yo.

Pensé en repetir mi ofrecimiento, pero la cadenita de la puerta ya se cerraba cuando me despedí. Su mirada era pícara y reticente a la vez.

—Adiós, buenas noches —dijo, y se apresuró a cerrar la puerta, como si se hubiera librado de alguna temida inspección. Me quedé frente a la chapa dorada con su nombre y el de su marido inscritos en letra inclinada: «Julia Valbuena. Eleuterio Costa» y me volví a mi casa, satisfecha, al menos, de haberme sacado de encima el cargo de conciencia. Dentro de su menesterosidad, Julia se las apañaba sin ayuda. En aquel universo de medicinas y polvos de talco parecía inmensamente feliz. Calculé que tendría unos setenta años. Me acosté pensando en el ropero inmaculado de Julia, en su casa y su marido, limpios y vacíos, puestos con lo justo. Aquella mezcla de exceso y menesterosidad me emocionó, y empecé a reconciliarme con las sábanas. Recordando mi encuentro con Isaac, intuía ahora en su aspereza a un hombre encantador del que me daba una pena inmensa despedirme, y en la locura de Julia y su acento traidor encontraba la ternura de una mujer que danza en medio de un baile fantasma. Salvo aquella respiración sorda y entrecortada del barrio y los inesperados golpes de mis vecinos septuagenarios, que volvieron a las andadas al poco tiempo de meterme en la cama, Manoteras dormía tranquilo. Yo también estaba a punto de dormirme cuando sonó fuertemente el timbre de la puerta. Me levanté como un resorte para abrir, pero en la puerta no había nadie. A la segunda llamada caí en la cuenta de que era el portero automático el que sonaba.

—Peter Stoneman al habla.

—¿Quién? —Se me había olvidado por completo la existencia de aquel elemento.

—Traigo algo de parte del señor Alcázar —dijo.

Tuve la tentación de cerrar la puerta con llave y llamar a la policía. El ilustrado de frenopático me ofrecía menos confianza que todos los yonquis del barrio juntos.

—Un momento que abro.

Bajé con las llaves en la mano y pensé que, al menos, si traía malas intenciones, me daría tiempo a pedir ayuda antes de que aquel gorila engominado echara el portal abajo.

Peter Stoneman esperaba pacíficamente tras el vidrio del portal, con su traje cruzado y una camisa de chorreras. Llevaba una bolsa en la mano.

—Esto es de parte del señor Alcázar —dijo entregándome la bolsa.

—Gracias, Stoneman. Ahora, adiós.

—Buenas noches.

—Sí, adiós.

—Hace una noche maravillosa. Hay estrellas.

—Ahora tengo que cerrar.

De vuelta en la casa, cuando dejó de bombearme el corazón, abrí el paquete. Era una chaqueta preciosa. Cruzada, como la de Stoneman, y de botones dorados. Dentro, en el bolsillo interior, había una invitación para una exposición de pintura con una nota. «Bien venida al Universo de la Improvisación. Tuyo. Isaac.»

TRES

—

Al día siguiente, lo primero que hice fue llamar a Isaac.

—No tienes que mandar a esas horas a tu loco —le dije—. Casi me muero del susto.

—Qué pasa, ¿no fue correcto? Le pedí que hiciera una indagación del barrio, y se ha debido de encontrar algunos colegas. Me ha dicho Stoneman que vives en la zona caliente.

—Hay un centro de toxicómanos, pero tampoco es tan grave, ¿no? Yo creía que en Madrid estabais más acostumbrados.

Ya no sabía quién estaba más loco, si Isaac o Stoneman.

—Bueno. Y la chaqueta, ¿qué?

—Preciosa.

—Es para que escribas.

—Vale.

En el teléfono hubo un silencio. Isaac preguntó:

—¿Adónde vas a ir esta noche?

—¿Adónde voy a ir? A mi casa. El autobús sale a las diez.

—En ese caso no nos veremos —dijo Isaac—, que tengas buen viaje.

Allí al lado estaba la maleta para volverme a Galicia. Podía hacerla tranquilamente y coger el autobús de la noche. Pero la noche llegó y yo marqué el teléfono de Isaac.

—He decidido que me quedo hasta el lunes —le dije.

—En ese caso vendrás a la exposición.

—Quizás.

Me había dado de plazo dos días más, hasta que Belén y Alberto volvieran del campo. Esa noche me puse la chaqueta que Isaac me había regalado y quedé con él en el bar.

El local no podía ser más pequeño. Era imposible que en aquel lugar hubiera nadie con quien hablar de literatura ni de nada; la gente se afanaba simplemente por respirar. Pero allí estaba Isaac, apoyado en la barra, entretejiendo citas cultas mientras supervisaba el ambiente y lanzaba miradas inquisidoras a los gorilas de la entrada, que me detuvieron nada más cruzar el cortinaje rojo. Inmediatamente, Isaac se acercó.

—Es amiga mía —dijo, como si aquel cuchitril fuera un palacio y él una especie de rey.

El intelectual, el millonario y el barman hacían un cóctel explosivo en el interior de mi amigo. Toda su persona era una contradicción sin descanso. Su mirada acechante y nerviosa delataba esta tensión, como si no estuviera a gusto en ningún papel, o como si cada uno de ellos estuviera vampirizando la sangre y el tiempo de los otros. En aquella ocasión estaba especialmente excitado.

—Eres una persona afortunada —me dijo, con las pupilas dilatadas y sin pestañear—. ¿Sabes que vives al lado de Eleuterio Costa? Me lo ha contado Stoneman. Es un gran escritor. Gallego, por cierto.

Siempre he presumido de conocer a todos mis compatriotas, pero no había oído jamás hablar de tal autor. Iba a decirle que a quien sí conocía era a Alberto y su revista de poesía, pero me lo callé. Le hablé de Julia y de su achacoso marido, sin acabar de creerme del todo que aquel hombre pudiera haber gozado de tan brillante pasado.

—Ése es. Es Eleuterio Costa —me confirmó—. Lleva

muchos años enfermo. Es normal que no sepas nada de él. Sólo escribió un libro, y su literatura estaba muy por encima del contexto y de la época. Nadie le hizo caso, pero su obra circuló entre un reducido grupo de gente, hasta hoy. Stoneman, por ejemplo, le adora.

—¿Y qué libro es ése? —pregunté, sin acabar de creérmelo.

—Es una pena que mi biblioteca esté ya toda empaquetada. Pero lo buscaré.

—¿Es que no se puede adquirir en las librerías?

—Imposible —dijo—. Es uno de los casos más raros de la censura de este país. Hubo una primera edición muy corta en los años treinta. Eleuterio debía de tener entonces veinte años; ahora debe de tener setenta. Aquel texto fue mal visto desde su publicación. Las gentes bienpensantes consideraron que era un texto dañino para la juventud; no llegaron a prohibirlo expresamente, pero desapareció del panorama editorial como por arte de magia. No se volvió a reeditar. Yo lo tengo porque lo tenía mi padre, pero no lo encontré entre los estantes de su biblioteca sino escondido detrás de las filas de libros. Estoy seguro de que tiene que haber alguien más que lo conozca, pero ni hoy se atreven con él. Es demasiado extraño, demasiado revolucionario.

—O es que —aduje— no le interesó a nadie.

Isaac descubrió de nuevo su cara huraña.

—Más bien todo lo contrario —gruñó—. El título ya es sorprendente: *Las caras de Dios.* —Y en su rostro se dibujó un gesto grandilocuente, que se vino abajo de inmediato—. Ahí donde lo ves, Eleuterio era un psiquiatra ilustrado —continuó—, un humanista. Su teoría es que todos nosotros formamos parte de la gran esquizofrenia de Dios. Dicho así resulta un poco simple. En realidad, la idea es que en este mundo sólo hay un habitante, ¡sólo uno! ¡Nuestra soledad, África, nuestra soledad! Te lo diré más claro. En este mundo somos muchos cuerpos, pero una sola mente.

Los ojos de Isaac se agrandaron hasta desorbitarse. Miró en torno, admirado por la presencia de todos aquellos jóvenes bebiendo y riéndose a oscuras. Tomó un sorbo de su copa y continuó:

—Tú y yo —dijo mirándome— no somos más que dos estados de ánimo de esa conciencia única. ¿Qué dirías que tienes en común con todos estos niñatos, con esta pobre gente? Nada, ¿verdad? Y, sin embargo, son tú, son yo. ¿No es fantástico? Ella —y miró a la camarera, que ponía copas sin levantar la mirada de la barra— es otro de sus arranques. Un solo habitante con infinitas manifestaciones de su ser, con diversas personalidades. ¿No te das cuenta? Encaja perfectamente.

A mí nada me encajaba, menos las carcajadas que empezaba a producirme la paranoia de Isaac.

—No difiere mucho de la teoría judeocristiana de la concepción del universo. «Y para no estar solo —dije— Dios creó al hombre.»

Isaac se removió en su asiento.

—Tendrías que leerlo —dijo, sin hacer caso de mis burlas—, su idea es más biológica que religiosa. Según él, el único habitante de esta tierra siempre fue múltiple, a partir de la explosión originaria de una materia inerte. Una vez que el universo estalla y se crea el movimiento, los pedazos diseminados del único habitante de esta tierra empiezan a pensar. Cómo, si no, dirigirse de un lugar a otro. El pensamiento y el espíritu son para Eleuterio una consecuencia del movimiento. Condenadas a un vagabundeo infinito, cada una de estas partes adquiere libertad, o sea, empieza a pensar por su cuenta, ya que ninguna otra ley rige su itinerancia, su movilidad. Sólo la reproducción, según él, permanece como el único instinto de recuperar la unidad perdida, el equilibrio de la completa soledad. Y aquí viene lo más atractivo y lo más curioso de su teoría: cuanto más tiende a la integridad, más se disemina, más se dispersa. Cuanto más se busca a sí mismo, más se pierde. Así que tú y yo, ja, ja, ja —Isaac prorrumpió en carcajadas sordas— sólo somos dos de las múltiples personalidades de ese único ser. No es la divina trinidad. Es la esquizofrenia múltiple. ¿No lo entiendes? Es un libro impresionante, te lo aseguro. Tengo que buscarlo entre mis papeles. Desde luego, es todo un privilegio vivir cerca de ese hombre. No tenía noticias suyas desde que leí su primer libro, ni siquiera sospechaba que siguiera vivo. Su vida no ha sido fácil. Le apartaron del ejercicio de la psiquiatría en los años sesenta. Él era un pionero de la nueva psiquiatría, sostenía que los enfermos no debían ser reclusos. Para él un esquizofrénico era un ser privilegiado por Dios, donde Dios se manifestaba por partida doble. Pero nadie estaba preparado en este país para escucharle.

No me parecía que Isaac estuviera loco. Pero estaba claro que todo aquel tema le atraía sobremanera. De hecho, Isaac se me representó de pronto como un hombre de una gran lucidez, interesado, como todas las personas inteligentes, por los movimientos intrigantes de nuestra conciencia. Hablaba de Eleuterio y sus locos con un gran entusiasmo, como hablaba de Stoneman, y yo estuve tentada entonces de hablarle de otra locura, la de su cuñada, de mi encuentro con Alberto y lo que éste me había contado nada más llegar a Manoteras. Desde aquella primera mañana no había tenido ocasión de volver a ver a Alberto ni de saber nada más de él, y ahora, con Isaac frente a mí, tenía esa oportunidad. Pero, no sé por qué, lo dejé correr. Creo que me intimidó el discurso de Isaac, su fuerza y su entusiasmo, y una íntima sospecha que traté de ahuyentar en cuanto se me presentó: que, quizás, a aquellas alturas Isaac ya estaba advertido de quiénes eran mis compañeros de piso, y que trataba de evitar el tema por todos los medios, o bien porque no le importaba en absoluto o porque le importaba demasiado. De hecho, de mi alojamiento en la ciudad nunca comentó nada. Isaac se perdía en el humo de sus cavilaciones y yo intenté traer la conversación al presente.

—¿Y cómo llevas lo de la mudanza? —pregunté.

—Por suerte, Stoneman se encarga de todo —dijo—, yo creo que dentro de un par de semanas ya podré invitarte a mi nueva casa. Le diré a Stoneman que me busque el libro de Eleuterio para ti.

—Dentro de dos semanas yo estaré haciendo mis exámenes de septiembre —dije.

Isaac volvió a inflar las órbitas de sus ojos.

—No te puedes ir —resolvió con una seriedad incontestable.

Me eché a reír.

—¿Y quién me lo va a impedir?

Isaac se puso a mirar a otra parte, como si no me hubiera oído.

—Todavía no hemos hablado de tu libro. He leído tu libro.

Con esta última frase, pronunciada entre dos silencios, la cara de Isaac se congeló en un gesto lapidario.

Me levanté del taburete, dispuesta a escuchar su opinión. Pero él no hizo ningún comentario sobre el contenido del libro. Simplemente dijo:

—El destino ama la casualidad; no me extraña que hayas ido a parar cerca de Eleuterio. Tu libro es hermoso: lo vamos a publicar.

Todo aquello me pareció demasiado rápido. Me atreví a introducir un tono de ironía.

—No sabía que también fueras editor —dije—. Además de la esquizofrenia múltiple, tú también crees en el multiempleo.

Isaac se revolvió en su silla, como si mis palabras le hubieran removido las entrañas.

—Un editor trabaja para procurarle el reconocimiento a los otros. El mío me importa poco, ¿sabes? —dijo, con una gran dignidad.

—Perdona —me excusé, sin acabar de creer en su propuesta—. ¿Y qué le ha parecido el libro a Stoneman?

—No te burles de Stoneman —dijo Isaac, que sólo cuando hablaba de Stoneman parecía hablar en serio—, él te tiene mucho aprecio, y yo me fío de su criterio.

—Desde luego que sí —contesté con un escepticismo que no podía ser mayor—, pero supongo que tendré tiempo de ir a hacer mis exámenes.

—Yo creo que no deberías irte. Es importante que vayas conociendo a algunas personas. Así funcionan las cosas en Madrid, y en todos lados, me temo. ¿O es que no quieres escribir?

Tomé asiento de nuevo en el taburete. Que mi futuro literario se fraguara en aquel garito de adolescentes ebrios me parecía fatal. No podía evitar un cierto regocijo ante el entusiasmo de Isaac, pero todo lo que rodeaba aquel suceso empañaba cualquier ilusión. Isaac, sin embargo, no escatimaba sus halagos.

—Te aseguro que llevo muchos años en esta ciudad, y nunca había estado ante un libro semejante. Es grandioso, espléndido.

Sonreí complacida, dispuesta a seguir escuchando sus alabanzas. Pero Isaac, sin variar ni una arruga de su cara, en ese mismo momento me dejó allí plantada y se esfumó rápidamente cuando alguien le reclamó desde el otro lado de la barra.

—Perdona —dijo saliendo disparado hacia otro lado, mientras hacía una señal a la camarera indicándole que lo mío estaba pagado—, otro día nos vemos, ¿vale?

Terminé el gin-tonic sola. Isaac se olvidó por completo de mí y se puso a charlar con un grupo de gente de algún tema, al parecer, más importante que la publicación de mi libro. Estuve esperando el momento de despedirme. Cuando me decidí a salir del bar, los gorilas de la entrada me abrieron las cortinas rojas y, desde el otro lado del local, obtuve de Isaac una mirada ocasional como todo saludo, como si me viera por primera vez.

Al día siguiente, domingo, recibí por la mañana, a la misma hora del día anterior, una llamada de Isaac.

—¿Diga?

—¿Todo bien?

Su voz era la de una persona ocupadísima que interrumpe un segundo el trabajo.

—Perfectamente —contesté.

—Te llamaré mañana.

—Vale.

Esa noche, Belén llegaría con su hijo de la Sierra, y era muy posible que al día siguiente yo ya no estuviera en Madrid. Pero no se lo dije a Isaac, sumergida como estaba en la corrección de mi libro. Si aquellos poemas podían gustarle a un loco, por qué no arreglarlos un poco, al menos. Me sorprendí al comprobar que no estaban tan mal. Aquella voz que hablaba en los poemas ya no era la mía, la sentía ciertamente lejana, pero se podían salvar. Apenas interrumpida por los gritos del supuesto Eleuterio y su mujer, vi correr las horas sin enterarme, y cuando llegó la noche me puse en actitud de espera, pero ni Belén ni Alberto hicieron su aparición, así que tomé el autobús que me llevaba hasta el centro de la ciudad y me ancoré en la barra del bar de Isaac, pero éste tampoco apareció. Cuando volví a mi casa, allí estaba Peter Stoneman, sentado en el último asiento del «búho», el único sereno e imperturbable de toda la tripulación, haciéndose el sueco y vigilando por mi seguridad. Hasta que atravesé el portal no desapareció aquella sombra caminando quince pasos detrás de mí.

—Oye —llamé a Isaac al llegar a casa, eran las cuatro de la mañana—, no quería despertarte, pero no soporto que este tío me siga a todas horas.

La voz de Isaac sonó con una indiferencia destartalada.

—Descuida. ¿Estás bien?

—Claro que estoy bien.

Quise preguntarle por qué no había ido aquella noche al bar, y fue entonces cuando me di cuenta de que lo había echado de menos durante todo el día, y que a aquellas horas de la madrugada todavía estaba dispuesta a sentirme reconfortada por la opinión que le merecían mis poemas. A punto estuve de contarle lo mucho que había trabajado en ellos aquella tarde, pero Isaac, al otro lado del teléfono, ya se despedía.

—No te preocupes —insistió—, ya le diré a Stoneman que no te moleste más.

Después de aquel desacato a su celo protector me quedé un poco inquieta pensando que Isaac no me volvería a llamar, pero las brumas del alcohol me ayudaron a conciliar el sueño y a olvidarme de mis vecinos, de mis hospitalarios amigos, de mi repentino editor. Al día siguiente cogería el primer autobús que me llevara a Armor y con un poco de suerte hasta era posible que llegara a tiempo para ver el capítulo del lunes sobre Leonardo da Vinci.

Apenas había dormido dos horas cuando me pareció oír pasos y risas. Inmediatamente me levanté, y me encontré con Belén y Alberto, que entraban en ese momento en el salón. Eran las seis de la mañana. Por las ventanas ya casi amanecía. Me alegré mucho de verlos, pero no parecía que ellos sintieran lo mismo. Estaban sorprendidos.

—Vaya, todavía estás aquí —dijo Belén mientras entraba en el salón con una maleta a cada lado—, creí que te habías ido a casa de tus tíos. ¿Qué tal el fin de semana?

—Mañana me voy —dije, e iba a contarle que se había suspendido el programa de radio al que estaba invitada, pero me pareció mejor noticia lo del libro—. He aprovechado para escribir, ¿sabes?, es posible que publiquen mis poemas.

Belén rectificó de inmediato su actitud. Ahora parecía dispuesta a alegrarse por lo que fuera. También a ella el fin de semana le había sentado bien.

—En ese caso no veo por qué has de irte —dijo, mientras intentaba extraer algo de la maleta.

Alberto no manifestaba su opinión. Se mantenía en silencio, con la expresión de no haber dormido en toda la noche.

—Isaac te tratará bien —dijo éste de pronto, sentándose en el sofá—, tiene dinero, bueno, lo tiene su mujer —puntualizó—, y, aunque parezca un loco de atar, es una de las personas más cultas de esta ciudad. Te presentará a gente.

El niño no venía con ellos. Belén no se paró en el salón y siguió con la maleta hasta la habitación. Desde allí se oía su voz. Parecía que las bondades del campo habían hecho el efecto deseado en su ánimo.

—Es una delicia salir de Madrid. Hemos dejado a Adrián en casa de su abuela. Se lo ha pasado tan bien.

Cuando volvió al salón ya se había cambiado de ropa. Ella no estaba cansada; al contrario, rebosaba energía.

—Mantengo lo que te dije, África —quiso remarcar—, puedes quedarte en casa todo el tiempo que sea necesario. Yo trabajo todo el día, Alberto viene de vez en cuando —dijo, estableciendo al fin la relación que los unía—, y no me vendría nada mal compartir el piso.

Alberto ojeaba distraídamente los suplementos dominicales que se habían acumulado durante el fin de semana. Parecía ausente de la conversación.

—He estado muy bien en tu casa —dije—, te lo agradezco de verdad.

En ese momento presté oídos al murmullo de fondo apenas perceptible durante el día.

—Es la depuradora del agua —me explicó Belén—; a la cuarta noche ya no la oirás.

También yo empezaba a sentirme del barrio. Le dije lo que Isaac me había contado.

—¿Sabes que eres vecina de un gran escritor? El que vive ahí al lado es Eleuterio Costa, un psiquiatra importante, al parecer.

Belén se mostró muy sorprendida.

—¿Ah, sí? ¿El enfermo? No sabía nada. Alberto, ¿has oído eso?

En su voz había un acento despreciativo, como si Alberto no pudiera no estar al corriente de semejante vecindaz. Éste levantó la cabeza de entre los periódicos.

—Son cosas de Isaac, se saca escritores de la manga cuando le apetece. Te lo ha contado él, ¿no?

Me reí con nerviosismo.

—¿No me habrá inventado también a mí? —dije.

Alberto se estiró en el sofá hasta quedar prácticamente en posición horizontal.

—Todos nos inventamos un poco, ¿verdad? —Y acabó

estirándose totalmente, hasta hacer reposar la cabeza en un cojín, gesto que Belén aprobó yendo a sentarse a su lado y acariciándole los cabellos.

—El que no es un invento es mi jefe —dijo, y miró su reloj sin perder la sonrisa—. Ya ves, a las ocho ficho yo. Vosotros los escritores, al menos —y me vi sumida en ese plural junto a Alberto—, podéis permitiros el lujo de levantaros cuando os da la gana.

—Pues sí —dijo éste—, las profesiones de alto riesgo al menos piden cierta flexibilidad de horario.

Y, sin más, se despidió de la impecable Belén con un beso y desapareció por el pasillo buscando la cama donde acabar de dormir un sueño interrumpido.

No sé por qué, aquel beso me pareció falso. Como la alegría de Belén, como la profesión de Alberto. Todo entre ellos me pareció una pantomima sin fuerza, un espectáculo improvisado para que yo lo viera, un espectáculo que ni siquiera había sido ensayado y en el que la única nota de verdad era el hastío de Alberto y la prisa de Belén por salir de la casa e irse a su trabajo.

—Lo del libro es una gran noticia —me dijo Alberto antes de dejar la sala.

Belén ya estaba en la puerta.

—No deberías perder esa oportunidad —dijo ella, mientras ambas puertas, la que daba a los cuartos y la que daba a la escalera, se cerraron al mismo tiempo, dejándome a mí a solas con el sofá y los periódicos, y con la sensación de no poder moverme de aquel sitio hasta que el uno se durmiera y la otra llegara a la estación de metro.

Pero, ¿adónde ir? Eran las siete de la mañana y no había ninguna oficina que me esperara. Tampoco me apetecía mucho volver a la cama para compartir ronquidos con mi vecino de habitación, así que me quedé donde estaba, sentada en el sofá frente a los periódicos; tomé papel y lápiz y comencé a escribir una carta:

«Querida mamá —empecé—, cuando recibas esta carta ya casi será viernes, y quiero avisarte de que no habrá programa de radio. Ha cambiado toda la dirección de la emisora y no me van a entrevistar. Casi me alegro. Belén, la amiga de Ponferrada con la que estoy viviendo, es muy simpática conmigo y me ha dicho que puedo quedarme en su casa hasta que yo quiera. Estoy deseando veros, pero aprovecharé el viaje para conocer Madrid. Además, el locutor me ha dicho que le gustaría publicar mi libro de poemas. ¿Qué te parece?»

En este punto me detuve, haciendo una pausa y con intención de continuar. Pensé que ahora era el momento de decirle a mi madre las cosas que nunca se dicen, lo mucho que me acordaba de Armor, mis primeras impresiones de Madrid y las dudas e ilusiones que se abrían ante la perspectiva de publicar mi libro. Pero no lo hice. Volví a leer la breve nota y pensé que Belén, sólo para advertirme de alguna circunstancia doméstica, ya habría empleado folio y medio. Entonces encontré inspiración para añadir:

«Las calles de Madrid son anchas y están llenas de árboles. Nunca he visto tantos árboles en mi vida, todos iguales. Como no hay clases hasta octubre, si lo del libro sale bien, a lo mejor me quedo un mes por aquí. Besos. Te quiere. Tu hija.»

Cuando miré el reloj ya eran las ocho de la mañana. Me vestí rápidamente y, para no despertar a Alberto, que se reponía de su ajetreado fin de semana y dormía a pierna suelta en la habitación de Belén, salí sin desayunar a la calle, en busca de una oficina de correos.

El barrio ya empezaba a serme familiar. Después de echar la carta en el buzón di una vuelta en torno a las cuatro cuadrículas que conformaban la urbanización, y llegué al corazón del barrio, una pequeña y desolada plaza donde el sol se ensañaba con cuatro plátanos desmochados que luchaban inútilmente por abrirse camino en medio de aquel erial. Pensé en sentarme en un banco a tomar el sol, pero cambié de idea cuando descubrí a un joven muy atareado con una jeringuilla y una goma ceñida al brazo. Me encaminé en otra dirección y a la vuelta de dos bloques me encontré con Julia Valbuena y su marido, que hacía su paseo matutino en silla de ruedas. Ella intentó pasar de largo, pero no fui lo bastante rápida y mi mano se levantó para saludarla. Cuando nos cruzamos, la anciana puso cara de pocos amigos. Iba a responder alguna impertinencia, pero en ese momento me reconoció.

—¿Y qué, cómo está su espalda, señora Julia? —le pregunté.

Julia obvió la pregunta y respondió con su sorna habitual.

—Voy a darle una vuelta al amigo —dijo, haciendo un gesto hacia la pequeña e inmóvil cabeza de Eleuterio—. ¿Y tú, qué? ¿A estudiar?

Yo no quise entrar en detalles.

—Pues sí, a ver cómo se nos da Madrid.

—Claro que sí, mujer —me animó Julia—, la ciudad es para la juventud. ¿Dónde vas a estar mejor? Ay, quién fuera nueva. Yo a tu edad bailaba todo el día, y ahora, ya ves, cargando con este pajarito. Cuando hace sol lo saco hasta la hora de comer. Le viene bien la vitamina E.

Aquella mujer tenía algo despreciable en el rostro, una especie de antipatía que aún se hacía más patente cuando la intentaba disimular.

—Ya le dije ayer que si le hace falta algo, para eso estamos —insistí—. Si no nos ayudamos los gallegos, quién nos va a ayudar.

En ese momento, el rostro de Julia se trastocó y, como si

hubiera oído un trueno que amenazara un inmediato chaparrón, apretó el paso y empujó el carro con una energía inconcebible en aquellos brazos. Me quedé parada, boquiabierta. Cuando Julia se vio a una distancia suficiente de mí, frenó en seco y, como si estuviera viendo al diablo en persona, prorrumpió:

—Aunque me estuviera muriendo de sed no os pediría ni un vaso de agua, enemigos.

Desde aquella distancia la contemplé con pena. Definitivamente, Julia era una mujer maltratada por la vida. Sus ojos eran los de un perro herido que temía tanto las mordeduras como las caricias. No se iba. Seguía en la acera, acechante. Pensé en dejarla allí, pero tenía la sensación de que necesitaba ayuda y mis piernas me dirigieron hacia ella. Cuando de nuevo estuve cerca vi su cara suplicante de mujercita atemorizada.

—Me han dicho que su marido es escritor —dije, intentando apaciguarla.

Julia depuso su cólera por una irritación más humana. Estábamos al pie de un banco, y ambas nos sentamos. El pajarito dormitaba en su silla. Julia se lo miró, y entonces hizo un gesto de una obscenidad descomunal.

—Escritor de la Pomporreaina —dijo golpeándose el trasero con la palma de la mano—. Para lo que nos ha servido... Menos mal que yo no sé leer.

—Pues la gente le admira —continué.

—¿Quién le admira? —preguntó Julia—, pobre de él. —Y alargó la mano sobre la calva sedosa de su marido dormido, como quien acaricia a un gato—. A ver quién le iba a lavar si no estuviera yo, a este cabrón, después de lo mucho que me ha hecho padecer. Mira qué bien huele, le echo colonia de la mía todos los días, quién me lo iba a decir, después de las hostias que he mamado del sinvergüenza este.

Los insultos resultaban cariñosos y las caricias eran insultantes, todo en Julia sufría una inversión inmediata, su propia persona era una auténtica revolución, como si no conociera mayor desprecio que el de amar a su marido.

—Ahora la que zosca soy yo, je, je —añadió, revolviéndole el pelo al pajarito—. Éste era de lo peorcito. Malo como la sarna, ¿no ves? —Y le cogía la mano—. Menos mal que dio conmigo. Quién le iba a aguantar más que una pazguata como yo. Y tú, qué, ¿no tienes novio?

—Los hombres son más listos. No quieren escritoras. Yo también escribo, ¿sabe?

Julia hizo un gesto de desprecio, de absoluto desinterés.

—Los hombres no quieren a nadie, mujer. Y para qué te hace falta un hombre a ti, tan joven. —Y en ese momento su cara se iluminó, como si hubiera comprendido algo de pronto—. Ay, si mi Eleuterio hablara, ya te contaría él cosas interesantes. Yo siempre fui una ignorante. A mí lo único que me gustaba era bailar. Y ni siquiera eso podía hacer, con este celoso de mierda, que no me dejaba ni lavarme. Toda la culpa la tiene mi madre, que en paz descanse. Lo vio tan mudado y tan listo que no lo pensó dos veces. Maldita la hora... Y ahora, que ya no dice ni pío, es a él a quien hay que lavar. Se le cae la piel a trozos si no le unto agua de rosas. —Y se puso de pie, estirando las arrugas de la falda—. Ahora que me acuerdo —dijo—, tengo que ir a comprar a la farmacia un par de botes. Ahora vengo.

Sin que diera tiempo a nada, Julia se encaminó a la farmacia que lanzaba destellos desde la esquina. Su cuerpo, visto de espaldas, todavía conservaba cierta gracia, y así desapareció por la plaza, como si saliera a una pista de baile impelida por la música.

Pasaron cinco minutos, quince minutos, media hora, pero Julia no hizo su aparición. Los yonquies del banco vecino se fueron, vinieron otros, y finalmente decidí levantarme y empujar la silla de Eleuterio hasta la farmacia. Julia ni siquiera había entrado allí. El farmacéutico la conocía perfectamente, pero no podía darme ni la más mínima información. Intentando mantener la calma, me dirigí a la casa de Julia. Quizás su cabeza le había jugado una mala pasada. Subí con el carro y con Eleuterio en el ascensor y, cuando llegué al quinto, en la casa de Julia nadie contestó. Me cansé de llamar, hasta que al final decidí entrar en la casa de Belén. Alberto tampoco estaba. Ya habían pasado dos buenas horas desde que Julia nos había dejado plantados en el banco. Ahora, a solas con aquel hombre en medio de la sala, no sabía qué hacer. Llamé a las puertas de los vecinos pero nadie contestó en aquel edificio fantasma donde la gente sólo venía a dormir. Llamar a mi madre me pareció una atrocidad. Intenté tranquilizarme. Al menos en aquella sala estábamos a salvo, hasta que la loca de Julia decidiera volver a su casa o aparecieran las mujeres del servicio social al atardecer. Yo tampoco tenía nada mejor que hacer. Así que me lo quedé mirando, con una cierta timidez, sin atreverme del todo a pronunciar una frase, esperando a que el hombre diera alguna señal. Eleuterio no parecía enterarse de nada, aunque en el fondo de su mirada acuosa parecía boyar una interrogación. Me oí a mí misma pronunciando en voz alta y con calma, como si hablara a una estatua, las siguientes palabras:

—Ahora estaremos aquí hasta que venga Julia de la farmacia. Ya no tardará.

A continuación cogí un libro de la mesa y me dispuse a leer, pero me pareció que quizás Eleuterio tuviera frío, y fui a buscar una manta que le protegiera las piernas. Eleuterio lo agradeció con una sonrisa, y de un modo insistente se puso a mirar el televisor. Me pareció entender la señal.

—A ver qué hay hoy en la tele —dije, hablando fuertemente.

En la pantalla apareció inmediatamente la imagen de Leonardo da Vinci recorriendo las calles de Pisa, atareado en alguna aventura.

—Fíjate qué casualidad —comenté, pero por parte de Eleuterio no hubo ninguna respuesta—. Pues la veremos juntos, mira qué bien.

Y ambos nos pusimos a mirar el capítulo del lunes, como dos compañeros que compartieran desde hacía tiempo la misma afición. Eleuterio parecía estar al tanto de la serie, y en atención a él subí la voz.

—No hace falta, oigo perfectamente —dijo éste de pronto—, a veces no me sale la voz, pero oír, oigo.

Me volví a mi sitio impresionada.

—Cuánto me alegro —creo que dije—. Pensé que no nos íbamos a entender.

—Hablar no tiene nada que ver con oír —escuché a Eleuterio—. La gente está muy equivocada, las dos cosas pasan por conductos diferentes.

La voz de Eleuterio era débil, pero firme y lúcida. Me preguntaba por qué no había abierto la boca hasta entonces, por qué se había mantenido callado en aquella extraña situación.

—¿Y no tendrá la llave de su casa? Quizás su mujer no tardará en llegar.

—No sé, no sé —dijo el viejo, como si le molestara desviar la atención de lo que estaba viendo—, uno no sabe qué es mejor, quedarse sin piernas o sin cabeza. Julia vuelve por su propio pie, pero cuando le da la gana.

—¿Y no hay un familiar al que pueda llamar, alguien que pueda ayudarle?

Eleuterio se volvió hacia mí asustado.

—No llames a nadie, por favor. Me meterían en una clínica. Por ahora, con las asistentas sociales tengo suficiente. Vendrán por la tarde.

Aunque lo intenté, no pude concentrarme en la serie. Mi vecino estaba embebido en la historia, parecía tranquilo, acostumbrado a incidentes de todo tipo, y no se mostraba muy dispuesto a prestarme atención. Cuando terminó el capítulo pidió agua. Entré en la cocina y volví con un vaso. Después de beber hasta la última gota, Eleuterio me miró de arriba abajo.

—Así que eres escritora.

Me ruboricé. Eleuterio me imponía un gran respeto. Nunca había conocido a un autor vivo. Nunca había tratado a un hombre casi muerto.

—Me han hablado mucho de usted —dije.

—Eso no puede ser verdad —dijo Eleuterio con cierta energía—. A mí no me conoce ni Dios. Yo no he escrito para los lectores. Ni siquiera me he ganado la vida con eso. Eso sí, la literatura me ha quitado muchas penas.

—Un amigo mío es un gran admirador de su obra —dije, contenta de poder hacer aquel comentario.

—Los escritores frustrados siempre tenemos un gran admirador —me respondió Eleuterio, que demostraba un gran sentido del humor—, no te creas que por ser viejo se es pobre. Es otra de esas confusiones. Cuando llegas a una edad, la gente empieza a ver en ti a un mendigo. Nos pasamos la vida huyendo de la pobreza, de la delincuencia, de la marginación, y todos acabamos pidiendo como pordioseros, poniendo la mano. Por eso nos escandalizan tanto los jóvenes que piden. Nos parecen impostores, como si estuvieran usurpando el puesto de mendigo que nos corresponde. He pensado mucho en la vejez, tengo tiempo de hacerlo, ya ves, llevo siendo viejo veinte años, desde que estoy en esta silla, y me he acostumbrado a recibir limosnas. En mi pueblo, los viejos hacían grandes fortunas sólo con ir puerta por puerta. Todo el mundo les daba. Yo también he atesorado mi pequeña fortuna. No en dinero, claro está, pero sí en otras cosas.

Sonreí, pero inmediatamente Eleuterio me calló.

—Qué risa tan bonita tienes, ¿ves? Es inevitable complacer a los viejos —hizo un gesto de atrapar una mosca en el aire—. Otra moneda para mi bolsillo.

—Ya sé que no es de risa —quise rectificar.

—Tampoco es para echarse a llorar, mujer —dijo Eleuterio—, a estas alturas ya no pretendes que te tomen en serio. ¿Y qué? —preguntó con un gesto vivaz—, ¿haces poesía?

—¿Cómo lo sabe? —me sorprendí.

—Cuando yo llegué a esta ciudad había muchos poetas gallegos. Todos acabaron de funcionarios de Hacienda. A los gallegos no hay nada que les guste más. Tenemos una alma lírica, pero nuestra verdadera vocación es el orden, la disciplina. Valemos mucho para tirar del burro, y si nos ponen una rienda al pescuezo, mejor aún. Necesitamos algo que nos aferre a la vida.

Me levanté y fui a buscar uno de mis poemas.

—A ver qué le parece. Yo creo que no está mal.

Eleuterio tardó más de lo normal en acabar la lectura de aquel breve poema.

—¿Quiere que se lo lea? —me ofrecí.

—No, no. Me parece bien —dijo el viejo al terminar su lectura, sellando los labios en un gesto que no quería decir nada—, pero le falta algo —puntualizó—. Le falta el secreto de la poesía.

—¿Y cuál es ese secreto? —pregunté, devolviendo el papel a su sitio encima de la mesa.

—En mi pueblo había un hombre que conocía el secreto de la lejía y a nadie se le ocurría preguntarle por tal cosa. Pero todos lavaban con su invento. Y esto... —dijo el viejo, aludiendo a mi poema y dejando escapar una risita burlona—, esto no lava, amiga.

Aquello me soliviantó. Me dieron ganas de coger la silla

de ruedas, abrir la puerta y depositarla en el rellano de la escalera.

—Depende de lo sucios que tengas los calzoncillos —dije tranquilamente.

El viejo se rió hasta que comenzó a toser.

—Eso sí que lava, ¿ves? Eso ya lava. ¿Y de dónde eres tú, tan educada?

Contesté rápidamente. Empezaba a incomodarme la compañía de aquel viejo impertinente.

—Yo, de Armor —dije, con arrogancia—. Es un pueblo que no conoce nadie, no viene en los mapas, en la carretera no hay indicadores.

El viejo demudó el gesto y, de pronto, sus arrugas quisieron desaparecer.

—¿Todavía no le han puesto el nombre al pueblo? —se sorprendió—. Yo nací muy cerca de ahí, en La Tilleira, no sabía que la gente siguiera viviendo en Armor.

—Gente y no gente —dije, considerando a Eleuterio en este último apartado. La verdad es que me importó muy poco que aquel hombre fuera del mismo sitio que yo. Al contrario que para Isaac, para mí las casualidades no significaban nada.

—¿Aún van los gitanos? —preguntó Eleuterio con el entusiasmo de un niño.

—Ahora son negros de Cabo Verde, y antillanos.

—Claro —exclamó Eleuterio—, ha pasado mucho tiempo. Yo debo de ser de la edad de tus abuelos.

—Mis abuelos están todos muertos —respondí, como si la muerte fuera un grado, una condecoración con la que el pobre Eleuterio ni siquiera podía soñar—; a uno lo mató el alcohol y al otro la abstemia. Uno se mató a beber y el otro dejó de comer. A los setenta decidió que ya había embuchado suficiente en su vida y se declaró en huelga de hambre, hasta que se acabó. No dieron que hacer a sus mujeres. No eran parásitos. Los dos eran gente de mar, venían del golfo, de Francia y del País Vasco, Lestegases y Legazpis, cazadores de ballenas, se casaron allí y tuvieron hijos. Yo soy nieta de esa gente. Mi abuelo el bebedor venía de viejo a mendigar a nuestra puerta y mi madre le daba un vaso de vino. El otro, el abstemio, venía también los domingos a pedir. Mi madre le daba dinero. Uno se murió de cirrosis y el otro con un baúl lleno de dinero fuera de curso. Así que se me da bien lo de las limosnas, ya ve.

No conmoví a Eleuterio con mi insigne prosapia.

—La generosidad es propia de la juventud —respondió—. Cuando no tienes nada lo puedes dar todo. Yo me vine aquí de niño. Mi madre se quedó viuda y encontró trabajo en una portería del barrio de Salamanca. La Tilleira entonces eran cuatro casas viejas al pie del monte, con el mar al fondo. Nunca volví por allí. ¿Quedarán todavía en pie? Al único que veo de Armor es a Vito, el pipero de Malasaña. A veces me viene a ver. Se ha hecho rico vendiendo pipas a los yonquies del Dos de Mayo. Toda su vida vendiendo pipas facundo en Madrid. A mí también me fue bien. Hice mi carrera sin pedir permiso a nadie. Sí, publiqué algún libro, es cierto, pero después vino la guerra y todo se fue al garete. Y mis locos a sus garitos. He trabajado con dementes toda mi vida, ése es mi único tesoro. Y La Tilleira. Mi madre lloraba día y noche por salir de aquella miseria, pero yo jugaba con los gitanos, me gustaba su manera diferente de hablar. Julia es gitana, de Portugal. La traté en el internado municipal de Madrid, ahí trabajé mucho tiempo, hasta que me echaron. Conseguí una vivienda social, nos casamos y nos vinimos a Manoteras. Si te asomas por la ventana —me indicó Eleuterio, señalando el descampado que se extendía más allá de la urbanización— verás los poblados de chabolas junto a la depuradora. Son su gente, desde aquí los puede ver. Es allí adonde se va cuando desaparece, pero en seguida vuelve. Nunca tarda más de dos horas —dijo mirando el reloj.

Todo lo que Eleuterio me contaba quedaba ensombrecido por mi rabia de poeta menospreciada.

—Pues me van a publicar el libro, ¿sabe? Cuando se enteren en Armor no se lo van a creer.

—Me alegro por ti —respondió Eleuterio—, pero en Armor conocen el secreto de la lejía, no te olvides.

—Ya, y a mí qué me importa.

—Te importa más de lo que tú crees —sentenció mi vecino—. Cuando puedas lavar el corazón roñoso de los hombres, entonces serás una nieta digna de tus abuelos los arponeros, una poeta de tu pueblo. Ahora, ¿qué? Si quieres hacer carrera de intelectual, eso es fácil aquí. Mírame a mí, hasta yo he publicado un libro.

En ese momento, ambos oímos al mismo tiempo mover la cerradura en la puerta de al lado.

—Ahí está Julia —dijo Eleuterio, y su cara se iluminó—, ya ha vuelto.

Sentí una especie de decepción. En ese momento me di cuenta de que seguiría hablando con él. Abrí la puerta. Eleuterio empujó el carro y en seguida se encontró con Julia en el rellano de la escalera.

—Mi niño maldito, no te me has muerto. —La esposa gitana lo llenó de besos mojados y de insultos, y ambos se quedaron un rato abrazados, hasta que entraron en su casa en medio de cien arrumacos, olvidándome por completo.

Yo me quedé sola en la casa, porque esa noche no vino a dormir nadie. Ni Alberto ni Belén. Todos, a su manera, tenían alguien a quien amar o despreciar. Imaginé a Isaac litigando con su mujer para dejar el domicilio conyugal, veía a Belén recriminando a Alberto por su indolencia y su falta de actividad, oía a Eleuterio y Julia odiándose y queriéndose como dos adolescentes desesperados. Yo sólo tenía delante unos poemas, y a ellos me aferré sin mucho convencimiento. Si hubiera podido meter la mano en el buzón de correos y recuperar la carta que había enviado a mi madre, sin duda lo hubiera hecho. Pero aquella carta ya estaba en camino, y las caras de Dios de las que hablaba Eleuterio en sus libros empezaban a revelárseme en todo su esplendor, y el secreto de la lejía parecía por momentos planear sobre los poemas, dejando caer una gota aquí y otra allá, o eso creía yo.

CUATRO
—

Aquélla fue una semana de decisiones, aunque las decisiones las fueran tomando los otros, mientras yo me empeñaba en escribir. El tiempo corría de prisa en aquel apartamento de Manoteras, buscando adjetivos y adverbios para acabar de impresionar a Eleuterio con un retrato fidedigno de La Tilleira, una prueba que certificara mi calidad de poeta del pueblo, de poeta digna de Armor. Por las tardes, cuando se aproximaba la hora de Leonardo da Vinci, llamaba a la puerta de Eleuterio y me sentaba junto a él. Ése era el momento que aprovechaba Julia para hacer sus escapadas al descampado. Cuando terminaba el capítulo, y antes de que Julia volviera de sus bailes gitanos, yo desenfundaba el cuaderno y comenzaba a leer. Eleuterio me oía durante el tiempo que su atención se lo permitía y luego caía en un sopor intermitente. Al final, su comentario siempre era el mismo.

—¿Y la fraga? Te falta la fraga de Budiño.

En el retrato literario de La Tilleira siempre se me olvidaba algo.

—Es imposible contarlo todo, Eleuterio.

—Ya te lo dije, cuanto más pequeño es un sitio, más complicado es de contar. Mires por donde mires hay detalles.

Los detalles para Eleuterio eran fundamentales, y mi obra resultaba superficial. Cuando Julia regresaba, la lectura se interrumpía automáticamente, Eleuterio desaparecía en medio de aquel vendaval preñado de amor y de ventisca y yo me volvía a mi casa a darle vueltas a La Tilleira, lo único que parecía interesar a aquel hombre de verdad, mucho más que las caras de Dios, una obra que efectivamente había escrito en su juventud pero de la que se mantenía alejado con un desprecio casi rayano en la vergüenza. «Cosas que se hacen —me decía—.Tú también las harás. Hay que equivocarse, eso es lo primero.»

Ni Alberto ni Belén aparecían por la casa hasta la hora de dormir, y a esa hora yo ya me había cansado de esperar y salía hacia el bar de Isaac, en busca de un aliento de vida, así que el lenguaje de las notas se hizo habitual entre nosotros.

El viernes por la noche, cuando volví del bar, me encontré con la siguiente nota prendida en la puerta de mi habitación:

«Hoy empieza octubre. Tienes que poner cincuenta mil de alquiler.»

Estaba dispuesta a pagar mi parte, desde luego, pero aquella cantidad me alarmó. Mi hermosa amistad con Belén se quedó en el aire y empecé a pensar en un lugar alternativo donde alojarme, al menos hasta saber algo de la publicación de mi libro. Aunque apenas nos vimos, todavía seguí viviendo allí una semana más. Belén hacía un horario inverso al mío, de modo que no me era difícil evitarla. Los primeros días la oía levantarse a las siete de la mañana y ducharse, pero en seguida nuestras costumbres se distanciaron tanto que cuando me la encontraba me llevaba un susto. Belén se pasaba todo el día fuera y volvía para dormir, y yo me pasaba la mañana durmiendo, la tarde escribiendo y por la noche, poco antes de que ella llegara, salía hacia el bar de Isaac. Cuando regresaba a la casa en el «búho», el último autobús nocturno que conectaba la red de San Luis, en plena Gran Vía, con el sector norte de la ciudad, en medio de los últimos despojos de la noche, junto a drogadictos terminales y borrachos autómatas que entraban y salían del bus con los ojos cerrados, la única voz que me recibía al llegar al barrio, en medio de aquel esplendoroso silencio, era el estertor misterioso de la gran depuradora de agua. Era como el respirar hosco de un animal atropellado que llevara allí mucho tiempo y no acabara de morirse, junto a las chabolas de los gitanos, a los que veía con sus carros subir y bajar la loma agonizante, como enfermeros impíos y ajenos al sufrimiento de aquel inmenso ser. Tardé en descubrir que aquel ruido pavoroso era de una máquina, pero luego para mí siempre fue el de un gran perro tutelar y doméstico que nos recibía a los que llegábamos solos a casa y salíamos solos de casa. Y lo mismo pasaba con mis compañeros de «búho», rotos, desgüazados, que al principio podían resultar amenazantes pero que no pasaban de hacerme trencitas en todo lo que duraba la línea. A las cinco de la madrugada cogía aquel bus en la red de San Luis, me sentaba en el primer asiento y el que se sentaba detrás se ponía a peinarme. Así íbamos en amor y compañía hasta Manoteras, sin mirarnos las caras ni hablarnos, medio dormidos y totalmente borrachos, anónimos y borrosos.

La vida de un escritor no es sana. Uno se muere o alcoholizado o arruinado. Parece un tópico, pero es así. Creo que hay algún abstemio en la profesión, pero ésa es la otra cara de la misma moneda. Son gente prudente que conoce los riesgos del oficio. Si has de escribir de día, sólo la noche te ofrece alivio, y tampoco eso te garantiza que vayas a llegar a alguna parte. Pero sigues haciéndolo, alcoholizándote y arruinándote, mientras los demás se duchan a las siete de la mañana y tú vuelves cada vez más tarde a tu casa, con trenzas en el pelo.

Mi compañera de piso debía de imaginar detrás de todo eso algo interesante. Las pocas veces que coincidí con ella después de la nota quise discutir lo excesivo del precio que me reclamaba, pero no me fue posible. Ella estaba de buen humor, le gustaba sentarse junto a mí, en el sofá, y hablar de temas profundos. Muy a mi pesar, siempre la decepcionaba, pues me veía incapaz de estar a la altura de sus expectativas, al tiempo que la presión del pago del alquiler iba aumentando. Pero un día me dijo algo que me causó una gran compasión.

—¿No crees que vivimos demasiado egoístamente? —empezó Belén.

—Sí.

—Y es que no hay tiempo para nada, sólo trabajar.

—Sí.

—No sé, a veces pienso que no vale la pena tanto esfuerzo.

—Es verdad.

Y entonces me pareció que unas ramificaciones rojas invadían sus ojos saltones. No se pondrá a llorar, pensé. Me apuraba tener que consolar a una persona con la que ya sólo me unía la deuda del alquiler. Pero Belén no hizo ninguna escena. Me miró con sus ojos llenos de agua, recomponiéndose .

—¿Sabes? Jamás he oído a mi madre cantar una canción —dijo de repente—. En mi casa nadie cantaba, sólo la criada.

Y no se lo dije, pero lo pensé: Bueno, algún día escribiré esto, para dejar testimonio de lo que sufren las personas que se levantan a las siete y van a sus trabajos convenientemente duchados. Y, en efecto, al día siguiente el chorro de la ducha que se daba Belén cayó a plomo con más energía que nunca sobre mi torturado e insomne cerebro. Admiraba su constancia, admiraba su buen humor a pesar de no haber oído nunca una canción de labios de su madre, y admiraba sobre todo su escrupulosa manera de llevar las cuentas. Daba pena dejarle a deber.

La cantidad que me reclamaba como mensualidad era todo lo que yo me había traído de Armor. Pero ya dije que no tuve ocasión de discutirla y el jueves, antes de salir al bar de Isaac, dejé el dinero en un sobre y ensayé las siguientes palabras:

«Ahí te dejo eso. Si quieres, quedamos a comer mañana, donde tú me digas. Abrazos, África.»

Para Belén no era posible quedar a comer. Me inquieté con su siguiente escrito. Su letra era apresurada y aquellas palabras denotaban tensión:

«No voy a poder quedar. Alberto no viene... ya te contaré, intentaré estar esta noche antes...»

Esa noche la esperé hasta las diez. Pero Belén no apareció. Me di cuenta entonces de que ni el niño ni Alberto dormían allí. En sus cuartos no quedaba nada de sus ropas, y por la mañana, cuando oí la ducha cayendo a chorro sobre la cabeza de mi compañera de piso, me apresuré a levantarme. La cogí justo cuando ya salía por la puerta.

—Me tengo que ir, ya te contaré.

—¿Y el niño?

—Está en casa de mi madre. Está bien.

—¿Y Alberto?

Belén ya estaba llamando al ascensor, pero no pudo disimular su angustia. Tenía la voz ronca y entrecortada.

—No sé qué ha pasado con él. Se ha ido —dijo y, secándose las lágrimas, añadió—: No me podrías dejar diez mil pesetas, ya te las devolveré.

Después del pago del alquiler me había quedado sin blanca, pero Belén parecía realmente angustiada.

—Puedo intentar tenerlas esta noche —dije, y me volví

a la cama con la cabeza dolorida de la resaca. Esa misma noche acepté el trabajo de camarera en el bar de Isaac, y los horarios con Belén quedaron definitivamente trastocados. Ella tuvo las diez mil pesetas y al día siguiente leí en la puerta de mi cuarto:

«Por ahora no puedo decirte nada. Muchas gracias por las pelas. Voy a estar unos días en casa de mi madre. Ya te llamaré.»

Así llegó el fin de semana para mí, sin tener más noticias de Belén y con las visitas diarias a Eleuterio, lo único que conseguía hacerme olvidar el extraño episodio que se había producido en mi casa.

El lunes, antes de acudir al bar como cada noche, recibí la visita de un corredor de fincas. El hombre preguntaba por Belén. Al parecer, ésta le debía el dinero de los últimos tres meses. Intenté excusarme, pero nada justificaba mi presencia en aquel piso, que quedaba a disposición de los propietarios desde ese mismo momento. Conseguí de aquel hombre una prórroga para organizar mis cosas y encontrar un lugar al que ir. El hombre de la agencia accedió, y llamé a Isaac para contarle que me quedaba sin casa. Fue la primera vez que le hablé de Alberto. Le conté lo de su extraña desaparición y la peculiar relación monetaria que se había establecido con mi compañera de piso. «Claro que le conozco —me dijo Isaac—, en esta ciudad nos conocemos todos», pero no se mostró sorprendido ni me dio más explicaciones sobre la relación que habían tenido en el pasado.

—Ese tipo salió un tiempo con mi cuñada —me confirmó—; pero no duraron mucho. Yo tampoco le seguí tratando —y no tuvo más palabras para ese tema, ni yo se las pedí.

Su voz, al otro lado del teléfono, se volvió de repente cortante.

—Sólo puedo darte un consejo. ¿Tienes una mesa? Pues pon encima de esa mesa lo que tienes y ponlo a salvo.

No sabía lo que quería decir exactamente, pero me pareció una buena recomendación. Cuando estás en un apuro todo sirve para algo. La voz de Isaac sonaba con esa autoridad de hombre experimentado, de amigo seguro. Él también estaba en su nueva casa. Los años no le habían preservado de las mudanzas, pero le habían dotado de cierto aplomo, de una imperturbable serenidad que, a la postre, acababa siempre desembocando en un áspero pragmatismo. Su vida, a sus casi cincuenta años, seguía gobernada por impulsos de un entusiasmo adolescente, pero la temperaba una sensatez de mulo. Era capaz de embarcarse en las más disparatadas empresas, y de arrastrar con él a cualquiera, pero estaba bien provisto de flotador y, sobre todo, tenía en su haber una buena cantidad de frases tranquilizadoras y un tanto rimbombantes para lanzarlas a los incautos que le habían seguido en alguna ocasión. Isaac podía haberme dicho: «No te preocupes, ven a mi casa, aquí puedes vivir.» Pero tenía algo mejor para mí, un consejo. Todavía se extendió un poco más en la paráfrasis de su pensamiento.

—Muy bien, ahora no tienes casa —dijo—, pues no pienses en lo que has perdido. Piensa en lo que te espera —terminó, y me quedé muy reconfortada, como un náufrago que se tropieza en medio del océano con un barco fantasma.

De mi estancia en Madrid, yo tenía ahora mi trabajo de camarera y aquellas cuartillas que iba desgranando para mi soñoliento lector. Era poco y mucho, según se viera, pero quizás valía más la pena salir de allí con lo puesto que perseverar en un barco que se hundía. Ésa fue la conclusión a la que llegué después de pasar un buen rato mirando y remirando aquellas cuartillas encima de la mesa, lo único que tenía, lo único que me pertenecía de verdad.

Antes de acudir al bar como cada noche había quedado en una galería de arte con Isaac. Aquello iba a ser mi despedida. Mi aventura madrileña había durado exactamente un mes, el tiempo suficiente para constatar la vacuidad del elemento en el que me movía, la inestabilidad de aquel barco a la deriva, y recuperar la ruta de la retirada. Fue una labor que no me costó mucho trabajo. Dejé mi maleta hecha en la casa de Belén y me dirigí a la cita con Isaac. Pero nunca se anda el mismo camino, ni se desanda. En el mío de regreso, que había iniciado con la despedida de Isaac, apareció como una alondra la inefable Piedad, la mujer que iba a darle la vuelta al vaso de agua en el que yo me ahogaba sin que una gota cayera, la última casualidad que iba a estrechar el cerco de mi destino.

Yo aquel día no podía estar más confusa, pero Piedad, como una alondra ciega y certera, vino a estamparse contra mí.

Era la inauguración de una exposición de pintura. Una mujer pequeña, vestida de negro, premeditadamente despeinada y sin un diente, se acercó con una sonrisa de oreja a oreja.

—Cuánto me alegro de verte —me dijo sin más.

Pensé que la conocía del bar y quise estar a la altura de su efusión. Pero ella, comedida, me sacó de dudas.

—Tú no me conoces. Yo a ti sí. Te he oído en la radio.

—No puede ser —contesté yo, que nunca había ido a la radio, ni falta que me hacía.

—He oído un poema tuyo —dijo—, hace tiempo, en el programa de Isaac.

A todo el mundo le gustan los halagos. A mí ese día no me venían nada mal. Encajé con humildad los piropos de mi admiradora. Seguramente le estaban haciendo la funda del diente, pensé. El despeinado de aquella mujer debía de ser producto de una de esas mortificantes sesiones de dentista. Piedad era muy elocuente. Cada palabra suya me abría un torrente de imágenes, claro que no hacía más que repetir versos del cuaderno que yo le había dejado a Isaac y nombres de amigos al parecer comunes, pero la vanidad no hubiera bastado para que nuestra complicidad se fraguara casi de inmediato. Había algo misterioso en ella, algo que capturó mi curiosidad desde el primer momento.

Piedad apareció en mi vida como una sirena sucia salida de una marea negra. Su aspecto no podía ser peor. Y, sin embargo, debajo de aquella capa de mugre me pareció que se ocultaba un bonito vestido de escamas de plata, y su alegría contrastaba tanto con la contaminación que la envolvía en aquella sala de arte que mi reticencia se fue relajando, mientras ella, con mucha normalidad, iba desgranando nombres familiares y hechos que efectivamente habían ocurrido hasta el punto de causarme la impresión gratísima de estar ante una persona que me conocía a la perfección. Como el criminal, cuya pulsión última es la de ser atrapado, también el que se esconde sólo espera que alguien de una vez le descubra. Piedad conmigo iba directamente al grano. Se sabía de memoria algún poema mío, era amiga de la gente que yo más apreciaba, y cuando ya estaba a punto de embarcar a aquella desastrada sirena en mi bote agujereado, para rematarlo, apareció Isaac Alcázar. Era con él con quien yo había quedado. Cuando vio a Piedad se lanzó a ella. Se intercambiaron un afectuoso saludo. A mí me pareció un abrazo sincero.

—Bueno, Piedad, cuánto tiempo, cómo me alegro.

Él, que no era nada dado a ese tipo de manifestaciones, acabó de corroborar mi buena impresión de aquella mujer. La tal Piedad no se alargó. Yo hubiera preferido que se quedara más, pero ella, con una elegante discreción, debió de juzgar que para ser la primera vez que nos veíamos ya se había demorado bastante, y retomó la conversación conmigo para despedirse.

—Tenía que decírtelo —me dijo—, esos poemas tuyos han sido para mí lo más importante de este último año. Me alegro muchísimo de conocerte, adiós.

Ya se iba cuando la paré. No sé por qué lo hice. Me pareció que no podía desaparecer así de mi vida.

—¿Y cómo me conociste si no nos hemos visto antes? —le pregunté.

—Tenías que ser tú —me dijo, volviendo la cara con un aire de frivolidad y misterio, antes de confundirse entre la gente que asistía a la fiesta.

El único comentario que le arranqué entonces a Isaac sobre aquella mujer fue laudatorio. «Una buena amiga —me dijo—, una gran pintora.» Como en otras ocasiones, también en ésta pude apreciar el tipo de relaciones que siempre establecía Isaac: de una gran intimidad y una mayor discreción.

Pero a mí Piedad me pareció algo más que una simple pintora, buena o mala. Quizás el vértigo de mi marcha me producía este último deslumbramiento. Todo mi horizonte se vio desmantelado de golpe ante una desconocida. En estos casos, el incrédulo se vuelve confeso, pero no de cualquier fe, sino de la más perseguida. No es que Piedad Hero fuera mala persona, pero su apariencia podía resultar más que sospechosa, y es posible que entre toda aquella gente decente y confianzuda yo fuera la única dispuesta a intuir el ser excepcional que había debajo de sus ropas ajadas y su piel manchada de icteria.

Después de la inauguración había decidido volver a Manoteras, a la hora en que volvía mi compañera de piso, para explicarle que dejaba la habitación y que pensaba volverme a Galicia, donde mi madre cantaba canciones por los pasillos y donde, al menos, podría ganarme la vida sin intoxicarme cada noche. Pero a la salida de la exposición de pintura, Isaac Alcázar me convenció para que no lo hiciera. Cuando la misteriosa Piedad se despidió nos quedamos un momento a solas y en mi silencio él en seguida lo intuyó todo.

—Creo que me voy a ir por donde he venido —le dije por fin.

Nos fuimos solos a tomar una copa al Boadas. Isaac, en aquel bar, se movía como un *capo di mafia*. El camarero lo trataba de usted y los clientes de las mesas vecinas, con sus trajes de chaqueta y sus corbatas de ejecutivo, le saludaban con cierta reverencia, un trato que no acababa de encajar con la imagen de Isaac, maduro pero de aspecto juvenil, vestido como un quinceañero y de modales también un tanto bruscos y desarreglados. Nos sentamos a hablar.

—Yo, en cambio, tengo buenas noticias para ti —me dijo—. Te anuncié que quería publicar tu libro. Aquí tienes el contrato. Supongo que esto te animará.

Isaac extendió un papel encima de la mesa. Finalmente, con el dinero recibido por la separación de su mujer había conseguido poner en marcha sus ilusiones de editor, y mi libro iba a inaugurar esa nueva etapa de su vida. Estaba más contento él que yo. A mí tardó en subirme la adrenalina.

—Mi separación —me explicó— tendrá al menos alguna ventaja. Quiero inaugurar la colección de poesía. Vete pensando en la ilustración de la portada.

Yo no supe compensar su euforia con mi tímida reacción. Ni siquiera leí el contrato.

—¿Qué pasa, no tienes bastante dinero? —me preguntó Isaac.

—No es sólo eso —dije—. Creo que tienes toda la razón con lo que me has dicho. Lo de la mesa. Yo siempre lo he creído. No creo que cambie mi destino la publicación de este libro. Pero te lo agradezco.

Yo llevaba ya dos semanas intercambiando mensajes en el espejo del cuarto de baño con mi compañera de piso, que había acabado por desvalijarme. Pero a Isaac le conté que mi destino no pasaba por Madrid, que sentía que si no volvía pronto, algo se rompería para siempre dentro de mí, algo que me ahogaba.

—Ya —dijo, y del bolsillo de su pantalón de cuero extrajo un fajo descomunal de billetes. Creo que se me pusieron los ojos a cuadros. El camarero se acercó inmediatamente, buen conocedor de las costumbres de sus clientes.

—Invita la señorita —aclaró Isaac.

Con uno de los papeles pagó la consumición y el resto, sin otro comentario ni mayor disimulo, lo dejó sobre la mesa de cerezo, junto al gin-tonic que yo acababa de pedir. Él se bebió su whisky sin que me enterara y se levantó para irse.

—Te hará falta para tu nueva casa —me insistió.

Iba a levantarme para ir tras él, pero Isaac me paró.

—Una señorita no tiene por qué beber al ritmo de los hombres —aclaró, y allí me dejó frente al fajo, que me apresuré a guardar antes de que perdiera la rigidez y se desmoronara.

Aunque entre Isaac y yo nunca hubo ni el más mínimo roce, intenté no defraudar las sospechas en las mesas vecinas. Entre la pinta de chulo de Isaac, mi vestimenta de entonces, con minifalda color vino y medias de cebra, con el fajo de billetes por medio, la escena no daba lugar a dudas. Así que acabé sola y con parsimonia mi gin-tonic y salí del bar como una profesional, con la chaqueta cruzada de botones dorados —regalo de Isaac— y con el bolso a tope.

Antes de entrar en mi casa pude contar el dinero. Eran seiscientas mil pesetas en billetes de cinco mil. Aquella desorbitada cantidad me alarmó, pero ya no podía hacer nada hasta el día siguiente, hasta que hablara con Isaac. En la casa, mi compañera de piso me estaba esperando. Tenía el sueño en los ojos, pero intentaba no dormirse.

—Nunca nos vemos —dijo, y bostezó como si tal cosa, como si estuviera allí esperando para charlar amigablemente.

No me entretuve en sacar del bolso una cantidad de dinero que nuevamente me reclamó. Fue mi modo de decirle adiós. Ella no esperó a terminar el bostezo para cogerlo.

—Te acaba de llamar una tal Piedad, o Paloma —dijo.

—Ah, sí, Piedad —contesté como si se tratara de una gran amistad.

—Ha dejado su número de teléfono. Está en el cuaderno. ¿Qué tal todo?

—Todo bien. Ha venido un hombre esta mañana diciendo que la casa está sin pagar. Yo dejo el piso. Espero poder ayudarte con esto —dije, y no pedí más explicaciones, ni las hubo. No le pregunté por Alberto y ella nada me contó. Aquel incidente no formaba parte de mi vida. No estaba sobre mi mesa.

—Que tengas suerte, algún día me llamarás. Creo que me voy a acostar, estoy muy cansada.

Esa noche no hubo tema. Y me alegré. Una de las ventajas de ir con dinero por la vida es que no tienes que andar pagando tu existencia con cuentos. La gente te exige menos cuando tienes con que pagar.

Cuando me quedé sola le devolví la llamada a Piedad. Aquella mujer me había causado una tremenda impresión y el dinero que Isaac me acababa de dar no había hecho otra cosa que aumentarla. Marqué su número con una gran decisión.

—Hola, soy África.

Piedad se alegraba y se disculpaba a la vez.

—Me ha dado tu teléfono Isaac. Quizás es muy tarde para llamar. Quería invitarte mañana a comer.

—Me alegro de que me llames —contesté.

—Me gustaría hablar más contigo, de tu libro. La verdad es que no todos los días se tiene una oportunidad así. ¿Qué tal si quedamos mañana en mi casa? Si te va bien.

Me sentía halagada de responder con humildad. Tenía la maleta a mis pies, pero creo que la aparté. Con el dinero de Isaac y la adquisición de mi nueva admiradora mi autoestima se había puesto a nivel.

—Mañana me va bien —contesté.

—¿A las dos?

—A las dos.

—Españoleto, 7. Te espero.

—Adiós.

Por teléfono tenía una dulce voz y, como no le veía el diente, su encanto aún era mayor. Sobre todo me cautivaba aquella mezcla difícil y perfecta de espontaneidad y corrección. Pero eso no me hacía olvidar su desarreglada imagen, antes al contrario, era la comprobación de algo que intuí desde el principio: aquella mujer no necesitaba esconderse bajo ningún ropaje especial, iba como iba sin preocuparse, su voz se encargaba de hacer saber que no era cualquier cosa. Es esa cierta pureza el salvoconducto con el que algunas personas cuentan para que se les presupongan todas las virtudes, aunque no las tengan, y se les excusen todas las faltas, por evidentes que sean.

Nunca me preocupé de saber qué había entre Isaac y Piedad. Di por hecho desde el principio que su amistad era como la mía, y, aunque aquel dinero que Isaac me había dado me pesaba en el bolsillo porque no sabía cómo se lo iba a pagar, mi actitud desde entonces había cambiado y estaba dispuesta a darme otra oportunidad. Nuevamente dejé la maleta para el día siguiente, dormí allí, y por la mañana a mediodía salí de la casa de Belén dando un portazo y me dirigí a la de mi nueva amiga con los ánimos redoblados.

La casa de Piedad no tenía nada que ver con la de Isaac. Se conocían, pero sus vidas debían de haber ido por caminos muy distintos a juzgar por el lugar donde vivían, aunque, como a veces pasa, esos caminos se hubieran cruzado en algún momento. La calle de Piedad estaba en la zona menos alegre del barrio de Chamberí, donde las aceras se vuelven intransitables de estrechas y la luz sólo roza los últimos pisos. Me dirigí hasta allí con una extraña tensión, la que nos producen aquellas personas con las que, sin saber por qué, nos identificamos. En una pastelería cercana había comprado algo para poder llevar. Eran casi las dos, pero tuve la impresión de ser la primera clienta del local. Enfrente, el portal de la casa de Piedad estaba abierto, así que entré, y cuando ya subía al primer piso oí su voz, que provenía del sótano.

—Es aquí —escuché, y bajé por la estrecha escalera de la que surgían sus palabras.

Toda la finca era oscura, como suelen serlo las casas de la parte este del barrio, y llegué al final del tramo casi a tientas. Piedad me estaba esperando en medio de la oscuridad. Cuando mis pupilas se acostumbraron a la falta de luz pude ver sus ojos, que sonreían en el blanco de la cara. Piedad era de esa clase de personas que con su mirada pueden hacerte creer que entras en un palacio aunque estés atravesando el umbral de una pocilga. Estaba muy contenta.

—Acabo de ir a comprar el pan —dijo—, me he retrasado un poco, espero que no tengas mucha hambre.

La seguí a través del breve pasillo hasta una puerta entreabierta de la que salía una cierta claridad.

—Pasa. Estás en casa.

—Te he traído unos pasteles. No sé si te gustarán.

—Claro.

—Y vino.

—Te tendré que invitar a comer todos los días.

Cogió la botella y la seguí a través de la estancia hasta un apartado donde estaba la cocina.

—Aunque yo nunca bebo, me hace daño. Es una desgracia en esta ciudad —dijo.

No me atrevía a mirar alrededor. Aparte de la cocina, en la que estábamos, el resto de la casa era un sótano con dos tragaluces a la calle, donde había montado un catre provisional, un par de estanterías con libros muy usados y un tablón sobre dos caballetes, que tenía encima un flexo encendido, la única luz eléctrica de la estancia. Hacía frío, a pesar del pequeño radiador que luchaba impotente contra la humedad de las paredes. Era evidente que aquella residencia era provisional. Aquel lugar inhóspito no podía ser su casa, o yo no quería creerlo. Piedad se movía de una esquina a otra como una gimnasta, impelida por una alegría de perro funambulista, y su pelo despeinado la acompañaba en aquellos movimientos. Era imposible no contagiarse de su buen humor.

—¿Y desde cuándo vives aquí? —pregunté.

—Pues en realidad acabo de llegar, como tú —me dijo—, sólo que no es la primera vez que estoy en esta ciudad. Hace diez años, cuando tenía tu edad, vivía aquí. Mira, ¿no has visto estos cuadros?

Estaba tan impresionada por las condiciones del lugar que no me había fijado en las telas. Sobre el catre había varias enrolladas.

—Es mi pintura, he vuelto a pintar. —Y sus ojos dejaban de lanzar chispas de entusiasmo para adquirir cierta gravedad—. Son los primeros cuadros después de mucho tiempo sin poder tocar un lienzo.

Sin darme cuenta asocié su marcha de Madrid con la falta de inspiración y la intolerancia al vino. Lo que me costaba creer era que tuviese sólo diez años más que yo. Parecía mayor. Pero lo que me pareciera no tenía importancia. Siempre que conocemos a una persona nos hacemos una idea de ella en función de unos pocos datos que nos apresuramos a interpretar, como si necesitáramos caminar sobre firme. Y aunque este firme sea una ficción que luego la realidad se encarga de demoler, los cimientos que hemos puesto para que se sostengan nuestras imaginaciones se resisten a desaparecer en el nuevo molde y quedan siempre allí, testigos incoherentes de nuestra ceguera, inútiles pero inderrocables, en constante desacuerdo con el edificio que el tiempo va forjando, más fuertes que todas las modificaciones posteriores. Siempre es un error esta primera impresión, pero es un error que está ahí, que permanece. Yo me hacía una idea de Piedad con lo que ella me contaba, con lo que veía y con lo que podía imaginar, y el saldo que arrojaba aquella operación, al poco tiempo de estar charlando con ella en su casa, resultaba bastante nefasto. Y sin embargo ella conseguía, con su actitud, que todas las evidencias no valieran nada al lado de las expectativas. Me pareció, por ejemplo, por el rostro de Piedad, suavizado y crispado a la vez, como un papel estrujado y en blanco que un niño arroja al suelo antes de dibujar ni una sola línea, que en sus maneras dulces se agazapaba la tremenda violencia de una persona mentalmente inestable. Quién no lo es, más o menos, pero a Piedad me la figuré, de pronto, saliendo de una casa de salud, como ahora las llaman, e intentando navegar de nuevo por el mundo con la fragilidad y la fortaleza de una persona tocada del ala pero también madura ya, suficientemente lúcida para cuidarse.

—¿Qué te pasó? —me interesé—. ¿Por qué dejaste de pintar?

—Bueno, ya sabes, a veces no se puede pintar ni hacer nada.

—Pero qué pasaba, ¿que no vendías?

—Al contrario —me explicó Piedad—. Estaba en mi mejor momento. Era joven, como tú ahora, y mi obra gustaba. Pregúntale a Isaac. Mis cuadros se cotizaban por todo lo alto. Él me conoce bien. Es mi cuñado.

—¿Cuñados? —repetí.

Creo que reaccioné como una imbécil. Como si la categoría de los cuñados perteneciera a una especie en extinción. Aquel dato me cogió totalmente por sorpresa. No entendía por qué Isaac me lo había ocultado. Si no hubiera sido por las siguientes palabras de Piedad, nunca hubiera sospechado lo que luego, poco a poco, ella misma me reveló.

—Mi cuñado, sí —me aclaró—. Creo que él y mi hermana se están separando. No sé qué hombre soportaría lo que ha soportado él. No te habrá contado nada, supongo...

—No, nada —dije, y esperé.

—Isaac es demasiado leal —continuó Piedad—. No hay gente como él en este mundo, te lo aseguro. Ya lo habrás podido comprobar. También a mí intentó ayudarme cuando empecé a pintar. Nos conocimos a través de la galería, cuando él hacía críticas, y luego conoció a mi hermana. Y cuando yo empecé a salir con Alberto... pero todavía no te he hablado de Alberto...

Supongo que en ese momento era yo la que tenía que hablar, pero cuando oí el nombre de Alberto enmudecí. Me callé instintivamente. Me limité a escucharla y a observar. Todo lo que la rodeaba, aquel sótano miserable donde los escasos objetos se apilaban unos sobre otros sin orden ni concierto, como también ocurría con sus gestos, superpuestos e imprevistos en el mapa de su cara, certificaban lo que yo me negaba a creer. No era necesario que ella misma me lo aclarara más para darme cuenta de que estaba ante la loca de la que me había hablado Alberto al llegar a Manoteras, durante mi primer día en Madrid. Sin embargo, por esas cosas de la vida, por lo mismo que la mentira sólo progresa cuando se apoya en la verdad, también la más terrible locura es la que navega a lomos de la lucidez. Y así como Stoneman podía ser para mí un simple loco e Isaac un hombre bondadoso y estrafalario, Piedad, sin embargo, no me pareció una loca sino una artista de arriba abajo. Yo no sé nada de pintura, pero sus cuadros me parecieron espléndidos, poderosos, consistentes. Y al mismo tiempo sutiles y aéreos. Aunque sólo sea por un momento, el arte tiene la misión de obrar milagros. Aquellos cuadros ejercieron en mí una influencia inmediata. Tuve la impresión, cuando empecé a ver uno y después otro, que estaba ante una gran persona. Podía estar loca, podía engañarme, pero aquellos cuadros no me engañaban. Y no es que fuera grande su alma, sino su cuerpo, su existencia. No era cuestión de bondad, sino de relieve. Piedad se moriría en algún momento, como yo, como todos. Pero detrás de ella dejaría aquellos objetos indestructibles, más o menos importantes para la historia de la pintura, quizás inexistentes, pero en cualquier caso rotundos, bellos. O quizás era aquella mujer, con sus maneras de niña bien criada en traje de mendiga, lo que hacía de aquellos cuadros un espectáculo admirable. Fue por allí por donde intenté indagar un poco más.

—¿Y si todo iba bien con la pintura por qué lo dejaste? —me interesé.

—Bueno —me explicó, y su rostro volvía a hacerse pícaro—, lo dejé por algo mejor. Alberto me daba mucho más de lo que me daban los cuadros.

—Ya, el amor —comenté, sacándole hierro al episodio sentimental que se me estaba anunciando.

Piedad se rió. Pero ya no advertía el hueco de su diente.

—No te rías de mí —dijo—, ya sé que tú no crees en esas cosas. Lo veo en tus poemas.

—Claro que creo en esas cosas —dije—. En lo que no creo es en las personas. Quiero decir, en «una» persona. —Y traté por todos los medios de no hablar más de la cuenta, de no adelantarme a algo en lo que no me debía meter. Piedad intentaba todo el tiempo seducirme con sus gestos.

—¿Y en mí, crees en mí? —preguntó con coquetería.

—No, claro que no —contesté.

Nos reímos al mismo tiempo.

Hay dos momentos de la vida para tener amigos; antes y después de la adolescencia. De niños, la amistad es una cuestión de afinidad, de vecindad, de convivencia. Después de ese momento, la comunicación entre dos personas sólo fluye si una de ellas está dispuesta a asumir el rol del que escucha y comprende, aunque el consenso último nunca se produzca. Con Piedad asumí desde el principio este papel. Su atractivo era demasiado como para, además, pedirle que pensara igual que yo.

—Pues qué pena que ese tipo te hiciera olvidar la pintura. Y ahora, ¿qué? —me atreví a preguntar, sin hablar para nada de mi conocimiento de Alberto y sin estar muy segura de que ella no lo supiera—. ¿Todavía os veis?

Piedad meneó la cabeza, hasta que consiguió entoldarse tras un mechón de su escaso cabello. Era un gesto que repetía mucho y que cubría varias funciones: en parte ocultaba la decadencia de su rostro y se hacía entrañable por teatral y coqueto. Siempre lo hacía antes de responder.

—No. Ya no le veo —dijo—, ya no le volveré a ver.

Y su cara volvió a la serenidad.

—Siempre es un problema acabar una historia —dije, acordándome de la espantada de Alberto de la casa de Belén—. Si las cosas han de terminar, valdría la pena no empezarlas a veces. ¿No crees?

Piedad me miró con tristeza, pero se recompuso en seguida antes de añadir:

—No es que lo nuestro acabara. Quizás nunca empezó. Lo acabo de matar.

No sé cómo conseguí contenerme. Creo que Piedad, que no apartaba sus ojos de mí, me ayudó a no caer. Toda su gestualidad desapareció en una actitud inmóvil, de espera. En aquel momento tendría que haberme largado de allí. Ella no me lo hubiera impedido. Pero no podía moverme. Me quedé allí, quieta, hasta que se oyeron dos suaves llamadas a la puerta.

—Ésta es Fernanda —dijo, y se levantó del taburete en el que estaba sentada para ir a abrir.

Apareció entonces una mujer gruesa, baja, con una bata de flores y los cabellos pintados de dorado. Traía una bolsa en la mano. Hablaba a gritos.

—El pollo, Piedad, está recién hecho, ya os lo podéis comer.

Dejó la bolsa grasienta sobre el mostrador de la cocina, y ya se disponía a irse cuando Piedad me la presentó.

Me levanté, intentando disimular el shock que me embargaba. Pero mis movimientos eran de autómata. Yo misma notaba cómo mi sonrisa se producía en cuatro tiempos. No podía controlar mis músculos y las palabras se quedaban atascadas en la garganta. Aquella señora voluminosa habló por mí.

—Qué tal, guapa. Bueno, hija, ya sabéis, ¿eh? Si necesitáis algo, aquí estoy. Ahora me voy, que tengo muchas cosas que hacer.

La vecina de Piedad se marchó arrastrando unas zapatillas de color verde y desapareció por el pasillo en sombras, para volver a meterse en una puerta contigua a la del estudio de Piedad. Quise irme con ella, pero estaba paralizada. Aquel lugar angosto en el que nos hallábamos se hizo totalmente inhóspito, casi no podía respirar. Piedad no era ajena a mi situación. Me miraba con dulzura, queriendo transmitirme su tranquilidad.

—Es la portera —dijo—, ella lo lleva todo aquí. Digo que es mi madre porque realmente es como mi madre. Por eso sé que nunca me encontrarán. Además, si me encuentran, ¿qué puede pasar? ¿Seis años de manicomio? Bueno, pintaré cuadros. Pintar también es vivir en un manicomio. Pero no tienes que permanecer aquí —me dijo—, tú me has preguntado y yo te he dicho la verdad. Tú también dices la verdad en tus poemas. Yo no podía engañarte, lo siento.

Aquella manera de involucrarme en su lógica me indignó. Allí estaba, era cierto, escuchándola y admirando sus cuadros. Pero para mí Piedad no había dejado en ningún momento de ser una extraña. Aquella confesión me hizo perder los nervios.

—Yo no digo la verdad en mis libros —susurré, sin poder contenerme—, yo no voy por ahí diciéndole la verdad a cualquiera. Y tampoco la pido. Yo no quiero para nada la verdad. Quédate tú con tu verdad.

Si no me fui de allí en aquel momento no fue por falta de ganas, sino por cobardía. Me faltaron fuerzas para levantarme.

—Tranquilízate —Piedad se acercó—, tienes toda la razón, no tenía por qué contártelo. Cuando te sientas mejor, te vas. Yo seguiré leyéndote, me pareces una gran persona.

Pero allí me quedé, quieta frente a ella, esperando no se sabe qué clase de consuelo que viniera a borrar de mi mente la escena anterior, algo que pudiera hacer desaparecer los últimos instantes de mi vida. Hay cosas de las que somos responsables y con las que hemos de cargar. Pero aquello que nos afecta y de lo que no somos responsables es todavía peor. No era sólo el miedo lo que me mantenía inmovilizada. Era como si esperase algo de todo aquello, una especie de compensación.

—Siento haberte defraudado así —dijo Piedad—, pero ya ves. Las personas somos un misterio.

—Por mi parte, no abrí la boca. La miraba fijamente, sin entender.

Piedad se entristeció. Había estado en todo momento tranquila, incluso feliz.

—Bueno —dijo—, Isaac es amigo tuyo, ¿no? Isaac puede contártelo todo.

En mi cabeza bailaba el recuerdo de Alberto, mi primera mañana en Madrid, la confidencia que me había hecho nada más llegar a Manoteras, y luego su desaparición. Piedad me soltó aquello con una frialdad absoluta. Lo único que parecía entristecerla era lo que pensara yo.

—Todo es complicado —dijo—, no sé por qué te lo cuento. Eres la primera persona con la que hablo de esto. Tus poemas... —y sus ojos apuntaron a un horizonte desconocido, por encima de mi cabeza, más allá del tragaluz por el que se filtraba un poco de claridad—, tus poemas me han iluminado tanto...

A aquellas alturas ya me había dado cuenta de que Piedad estaba completamente loca. Pero yo no había conocido a ningún loco en mi vida, aparte de Stoneman, mi otro ínclito lector. Y a pesar de ello algo dentro de mí se resistía a abandonar. Una mezcla de repudio e incredulidad. Allí me quedé, muda, esperando no sé qué. No era el miedo lo que me retenía. Todo lo que Piedad me estaba contando me repugnaba profundamente y, sin embargo, era incapaz de darme por vencida. Sabía que lo mejor era largarme de allí, lavarme las manos de todo aquel asunto, pero me fui quedando, tenía que salirme con la mía. Los cimientos de Piedad se habían implantado en mi vida y tenía que esperar a que la casa se acabara de hacer, aun a riesgo de acabar aplastada bajo aquella construcción.

—Bueno —siguió Piedad, y se levantó para ir a la cocina—, creo que si no hubiera sido por tu poesía, yo tampoco seguiría aquí. Supongo que por eso te lo cuento. De algún modo te debo la vida.

Piedad volvió con el pollo en una fuente y dos platos en los que colocó las dos raciones. Se puso a comer sin miramientos, y yo ni me moví. Ella no volvió a hablar del tema. Se lavó las manos, encendió un cigarrillo y retomó la conversación banal que habíamos iniciado. No había ningún nerviosismo en sus palabras; al contrario, parecía más contenta, consciente de que el terrible suceso que acababa de confesarme no alteraría en absoluto nuestra reciente relación, a no ser que fuera para acabar de cimentarla. Tampoco yo hice más preguntas. No oí nada de cuanto después me dijo, ni de su pintura ni de su amor. Esperé a que llegara el momento del café para decir que había quedado y me marché de allí con la misma docilidad con la que había entrado, segura, sin embargo, de que no volvería a cruzar aquella puerta.

—Bueno, ahora ya sabes dónde estoy —se despidió Piedad.

Sus rasgos eran entonces menos acusados; más amables y casi infantiles, como si el pequeño teatro que había montado para mí no tuviera otra finalidad que revelar, al término de la sesión, a la persona sencilla y natural que había detrás del telón, y con eso acabar de cautivarme.

Me fui de allí pitando, sin acabar de entender lo que me estaba pasando, y sin poderme desprender de un agobiante sentimiento de culpa, el que me producía dejar

CINCO

En cuanto salí de la casa de Piedad y vi la luz de la calle, respiré, y no paré de correr hasta que llegué a la parada del 64. Me esforcé en parecer tranquila, y hasta traté de reírme de aquella situación: yo en la casa de una loca ante una confesión de asesinato; mi maleta esperándome en Manoteras con seiscientas mil pesetas de regalo; un libro mío a punto de ser publicado, y mi pulso temblando sólo de pensar en atravesar la puerta de la casa de Belén.

Aunque no las tenía todas conmigo, intenté serenarme. Nadie me esperaría en la casa y nadie me perseguía. Peter Stoneman había dejado de escoltarme hacía ya tiempo y por lo que respecta a Piedad Hero estaba bien segura de que no saldría en mi busca para asesinarme ni nada parecido. La imaginé en su cuartucho, degustando el éxito de la función, como una actriz en su camerino, completamente convencida de que el lleno para la temporada entrante estaba garantizado. Yo, su primer acólito, me encargaría de ir diciendo por todo Madrid que Piedad Hero había vuelto, que sus cuadros eran increíbles y que ella era irrepetible. De eso era de lo que huía. De la fascinación de aquel teatro, con sus personajes rocambolescos y sus extremados escenarios. Pero la vida es una paradoja interminable: cuanto más me empeñaba en mantenerme al margen de cuestiones que no eran de mi incumbencia, más me hundía en ellas; cuanto más trataba de alejarme de aquella gente con la que el azar me había cruzado, más cerca los tenía.

No llamé a Isaac para contarle aquel encuentro. Si lo que Piedad me había contado era cierto, y si tenía algo que ver con el Alberto que yo conocía, preferí no darme por enterada. Si era una mentira destinada a capturar mi imaginación, no estaba dispuesta a someterme a tan baja manipulación. Tampoco entendía por qué Isaac me había ocultado que Piedad era su cuñada. Las seiscientas mil que me había dado la noche anterior, ahora me quemaban en el bolsillo. Determiné que las devolvería, pero fui incapaz de ponerme en contacto con él. Lo cierto es que él tampoco me llamó en todo el día. Al principio lo atribuí a su discreción. Isaac era capaz de mantenerse alejado para no hacerme sentir la más mínima obligación. Luego pensé en su cambio de hogar, en su proceso de separación, lo imaginé ocupado y preferí dejar correr el asunto.

En la calle compré una revista para ojear los anuncios de alquiler de pisos, y me dirigí a Manoteras a recoger mis cosas, decidida a poner tierra por medio con cuanto tuviera que ver con Alberto y con Belén. Yo había llegado a aquella casa guiada por no se sabe qué clase de afinidad. Luego Alberto, sin conocerme de nada, me había contado su historia con Piedad, y ahora ésta se me cruzaba en los pies. Después de mi atoramiento primero, consideré que todo era una patraña, una locura urdida por una mente estrafalaria, y que el destino que pudieran correr el uno y la otra era algo que no me concernía para nada.

Pero entré temblando en la casa. Hice algunas llamadas de teléfono a la caza y captura de piso y todas resultaron infructuosas. O eran demasiado caros o ya estaban ocupados. Me fui poniendo nerviosa a lo largo del día, conforme se acercaba la hora del regreso de Belén. Después de dudarlo, me lancé a reservar un piso nuevo en el centro de la ciudad, en la calle Zurbano, un ático cuyo alquiler estaba muy por encima de mi condición pero que, al menos de momento, podría encarar. Cogí mis cosas, cerré la casa de Belén para siempre y me fui a Zurbano.

Aquel inmueble y aquel luminoso ático no correspondían en absoluto a mi estatus, pero decidí alquilarlo. Me puse a buscar trabajo y, con el dinero de Isaac, pagué un mes de adelanto y el depósito. Compré lo mínimo que necesitaba, una mesa de caballete y una máquina de escribir. Resultaba absurdo vivir con un portero físico y ascensor con memoria, y con unos vecinos entre los que intentaba, con relativo éxito, pasar desapercibida como una joven ejecutiva más.

Creo que el encuentro con Piedad fue para mí un pulso con la ciudad. Había llegado a Madrid arrastrada por una soga, pero ahora estaba allí, con una mesa, una máquina de escribir y varias cuartillas. Y ella no me iba a echar. Me empeñé en olvidarme de lo que había sido de Alberto, en apartarme de todo y empezar una nueva vida desde allí arriba, una vida alejada de la sordidez y la inconstancia de los ambientes que conocía, para entregarme en cuerpo y alma a la escritura de mi obra, una obra luminosa y redentora que dejaría muy claro las diferencias que había entre el bien y el mal, entre una pobre loca y un artista. Creo, ahora, que le debo muchas cosas a Piedad, entre otras mi vocación. Posiblemente, si no la hubiera conocido mi destino hubiera sido muy diferente. La vocación es algo que te llama, pero también es lo que rechazas, aquello contra lo que luchas, de lo que escapas. Adónde te lleva eso es una incógnita difícil de resolver, y en esa incógnita me metí yo, con un dinero que no era mío y con todas las páginas en blanco por delante.

Al contrario que el resto del mundo, un escritor siempre está en su casa. Puede no ponerse al teléfono, puede no levantarse de la mesa, pero siempre está ahí, secuestrado entre las paredes de su conciencia. Al único que no podía engañar era al portero, pero afortunadamente resultó un tipo entrañable con el que se podía charlar y fumar un pitillo en los entreactos del trabajo. Era un hombre inteligente. Nunca me preguntó por amigos, ni por mi profesión, ni por mi familia. Sólo hablábamos de los partidos de fútbol, del mal o el buen tiempo y de las noticias del diario, pero jamás tenía por ello la sensación de ser tratada de un modo impersonal. Clemente, que ése era su nombre, era muy consciente de que sólo los dos nos pasábamos el día en aquel edificio, y así me hablaba, como un compañero de oficina o de prisión. Él velaba por el mantenimiento del edificio y yo velaba por el equilibrio del universo, y eso no nos hacía diferentes al uno del otro.

Aquella casa no tenía nada que ver con la de Manoteras, nada de gitanos, nada de toxicómanos, pero cuando caía el día, con bastante frecuencia, al otro lado del tabique echaba de menos las discusiones entre Eleuterio y su mujer. El silencio en aquella finca era total, lo que me permitió seguir escribiendo cada noche un capítulo de la historia de La Tilleira, que enviaba cada mañana por correo a la casa de Manoteras, a la dirección de Eleuterio Costa. A vuelta de aquellos envíos, fui recibiendo autógrafos de puño y letra de Julia, que transcribía con su caligrafía de analfabeta lo que su marido pensaba acerca de mis escritos. Realmente, la pareja septuagenaria fue lo único que eché de menos durante mis primeros días en Zurbano. Eleuterio no dejó de denigrar ni uno sólo de mis envíos, poniéndome siempre pegas a esto y a lo otro, pero en eso estaba, entregada a la absurda tarea de escribir la historia de La Tilleira, la miserable historia de nuestras Urdes gallegas desde un ático en pleno centro de Madrid. Mientras tanto empecé a enviar currículums y a visitar redacciones, hasta que conseguí una colaboración con un periódico para el que hacía críticas de libros, y aunque no era mucho lo que cobraba, al menos era una cantidad segura que me permitía abrirme camino. Belén, mi antigua compañera de piso, siguió enterneciéndome desde la distancia con una religiosa llamada semanal para recordarme lo sola que estaba desde que Alberto había desaparecido de su vida. No sabía nada de él. Me contaba que por las noches tenía miedo, que le resultaba imposible que hubiera desaparecido sin dejar rastro, pero ella no sabía qué enemigos podía tener Alberto. ¿Lo sabía yo? Ni se me ocurrió abrir la boca con respecto a ese tema. En nuestras conversaciones telefónicas me limitaba a oír a Belén, que pasaba de la angustia más extrema a la más pasmosa resignación. Por suerte había conseguido mantener el piso y allí seguía viviendo, llorando y madrugando. Por ella supe que la tal Piedad me había estado llamando constantemente, pero para mí era fácil no devolverle las llamadas, y los reclamos de Piedad y las llamadas de Belén se fueron espaciando hasta desaparecer. Lo mismo sucedió con las tres o cuatro personas que frecuenté antes de cambiarme a Zurbano, que se perdieron en la noche como mis amistades anónimas del *búho*. Con mis padres la relación telefónica cambió. Las cartas dejaron de llegarme y sólo nos hablábamos de vez en cuando, como si la ternura de la separación se hubiera disuelto en la distancia. Les había informado de mi nuevo trabajo y de mi decisión de quedarme en Madrid.

Así transcurrió mi nueva vida, entre Clemente y el trabajo, con alguna escapada a la redacción del periódico, lo que no era muy frecuente. Mi redactora jefe me hacía los encargos por teléfono y los envíos de libros me llegaban a través de mensajeros variados y puntuales con los que mantenía una relación peculiar. El breve instante del intercambio, mientras el motorista me entregaba el paquete y yo lo recogía para estampar mi firma sobre el papel de recibo, me hacía sentir bien para todo el día. Pensaba muchas veces que si el amor llegara a mi vida, me gustaría que tuviera ese rostro, el rostro de un motorista educado y profesional, enmascarado en un casco que sólo deja a la vista los ojos, hoy de un color y mañana de otro, miradas diferentes y profundas como las mil caras de Dios, un Dios diseminado y distante cuyo trabajo es dar sin pedir nada a cambio, todo lo más una firma que acredite que el objeto ha llegado a su destino. En cierto sentido, la amistad también era eso, una lealtad inconsciente, que se ignora, una compañía desinteresada e indiferente, un simple estar ahí. Algo que no tenía nada que ver con la bondad ni con la pasión. Así encontré una cierta paz, enamorándome cada semana de un mensajero anónimo, charlando amigablemente con Clemente y con los camareros del Vip's donde comía, y, los fines de semana, cuando me quedaba sin una cosa y sin la otra, escribiendo.

De ese modo corrió el primer mes, hasta que llegó noviembre y empecé a pensar en Clemente y en el alquiler. Llamé al periódico. Creo que me puse nerviosa pidiendo colaboraciones. Esa misma tarde recibí libros de la redacción. El mensajero que me los entregó me pareció familiar. Al principio no lo reconocí. Vestía uniforme y botas de motorista. Pero no hizo falta que se sacara el casco para identificar a Stoneman. Sus ojos enajenados lo delataron. O no me reconoció o fingió no enterarse. Por mi parte hice lo mismo. Él, con su cortesía decimonónica de caballero de la Orden de Santiago, me entregó el paquete de libros. Yo, más bien expeditiva, lo recogí.

—Es un paquete para usted, firme aquí, por favor —me dijo sin mirarme.

Stoneman esperaba con la mirada entornada a que la

clienta firmara el papel. Su indiferencia fue total. Stoneman, durante un tiempo, me había servido de caballero andante, y ahora, para él, yo no existía, sólo era una firma en un papel. A la vista estaba que había cambiado de trabajo. Cambio de dueño, cambio de siervo, pensé. No se me ocurrió preguntárselo pero me imaginé que ya no estaba a las órdenes de Isaac, y eso quería decir que, al menos por lo que respectaba a mi desprecio, Stoneman era un hombre libre. Nada. No intercambiamos una palabra. Pero sabía que no podía demorar un momento más mi reencuentro con Isaac, y esa noche, después de casi dos meses sin verle, fui a visitarle a su local.

Yo había dejado de ir a aquel bar y eso significaba que ya no me mirarían condescendientemente al entrar. La complicidad con toda aquella gente se había desvanecido como por arte de magia, pero a cambio sentí la satisfacción de cruzar aquella puerta como alguien que podía mirarlos por encima del hombro porque nada les debía ya, ni el saludo. Isaac, como de costumbre, estaba apoyado en el extremo de la barra, al final del local, en una actitud inconfundible de dueño, mirándolo todo con desinterés y cierta autoridad tras sus gafas cuadradas de camionero leído. Aunque el gesto de Isaac no se alteró con mi llegada, sabía que se alegraría de verme. Lo que menos le gustaba era hablar de sí mismo, así que no respondió a mis preguntas cuando me interesé por su nueva vida de soltero, y en seguida se apresuró a presentarme a las dos personas que le acompañaban. El hombre era un conocido periodista de la radio, y también escritor. Sus tertulias eran muy famosas en la ciudad. Se llamaba Raúl Renier. Me contó que se levantaba todos los días a las seis de la mañana y que dedicaba dos horas a la escritura antes de meterse en la cabina para conducir su programa. Su rostro, a las doce de la noche en aquel bar, era el de un ser satisfecho y pletórico que ha cumplido con sus obligaciones y se da un merecido premio antes de irse a dormir. Mantenía una postura de ángulo obtuso y una sonrisa ceremoniosa.

—Raúl es un gran admirador de Eleuterio Costa —comentó Isaac dirigiéndose a mí—. ¿Cómo está, sabes algo de él?

No tuve tiempo de responder. Raúl Renier se lanzó a la presa con una ansiedad antropofágica.

—¿Es que está vivo, le conoces? —me preguntó—. He oído tantas cosas de ese hombre, me gustaría tanto invitarle a mi programa.

—No está precisamente para entrevistas —dije sorprendida por el interés que suscitaba la persona de Eleuterio—. De todos modos, yo ya no vivo en Manoteras.

La salud y la buena fe de Raúl Renier me recordaban a la gente cuando sale de misa, o después de un examen. Era grande, guapo, y aunque de cuerpo resultaba un tanto amorfo, cuando hablaba su potente voz le dotaba de un vigor espeluznante que podía dar hasta miedo; aunque la gestualidad y los movimientos, consciente el hombre de su enormidad, pretendían ser discretos, en la contención de su desarrollo se intuía una fuerza física de ogro que yo no podía evitar imaginar en acción, por mucho que él intentara contrarrestarlo con una actitud meliflua y casi afeminada.

—He leído el libro que me has dejado, es increíble —continuó dirigiéndose a Isaac—. ¿Tú lo has leído? —preguntó a la mujer.

La mujer que estaba con ellos debía de tener unos cuarenta años. A primera vista parecía una de esas mujeres que les gustan a los hombres, morenas, delgadas y con el pelo cuidado, muy bien vestidas y con los tobillos esqueléticos, como de gallina. Pero en seguida se apresuró a desmentir cualquier apreciación en este sentido. Ella llevaba la voz cantante de la conversación, con ese desparpajo masculino que, cuando se da en una mujer, supera el del más brillante congénere. Parecía una persona culta. Acababa de llegar de América, donde había residido dos años realizando un master en comunicación. Su seguridad en la puesta en escena no dejaba lugar a dudas. Aquellos dos años la habían transformado por completo. Quien, como yo, sólo la hubiera visto después de este revolucionario proceso de su alma, no podría imaginarse, según ella, el tipo de persona que era antes. Y tenía razón: su presencia era tan contundente que no dejaba resquicio para la imaginación. Ella era puro presente. ¿Qué niña había sido? ¿Tenía fotos de sus diez años escondidas en algún cajón de su casa? ¿Y cuál había sido el pasado inmediato al que aludía? Era imposible responder. Su presencia estaba destinada a invalidar cualquier pregunta, cualquier hipótesis. Totalmente al contrario que su compañero de barra, el escritor Raúl Renier. Ella también conocía la obra de Eleuterio Costa, o al menos hablaba de él con una gran admiración. Era el tema de conversación en el que coincidía esa noche todo Madrid. Mientras el viejo Eleuterio maldormía entre las bofetadas y las caricias de su mujer, su libro corría de mano en mano como un tesoro sólo accesible a unos pocos, a los iniciados, a los amigos de Isaac.

—Tienes que reeditar ese libro —animó a éste Lucía, que así se llamaba la mujer—, no puede ser que una obra así sea prácticamente desconocida.

—Desde luego —sentenciaba Raúl Renier, que mantenía en todo momento una sonrisa educada.

En su cara se adivinaba el niño que había sido, o, mejor dicho, mirándole se podía saber qué cara tendría cuando fuera viejo. En su vida no habría la más mínima alteración, bastante ocupada estaba su alma en no dejar salir afuera al animal que albergaba, para, además, forjarse una historia. Su amabilidad era un poco indignante. Hablaba de un modo reposado y muy artificioso. Me lo imaginé yendo cada domingo a comer a casa de su madre.

—¿Y qué tipo de novelas escribes? —me preguntó de pronto, sin la más mínima curiosidad.

—Todavía no he escrito ninguna —dije—. En ello estoy.

—Eso es maravilloso —replicó—, así que todavía puedes escribir cualquier novela, no como yo, que ya solamente escribo historias de mujeres separadas.

Isaac y Lucía se rieron.

—Es lo que dicen los críticos de tu periódico —me explicó Isaac, aludiendo a la reseña en la prensa de su último libro.

La verdad es que me molestó ver a Isaac de comparsa de aquel compendio de virtudes en el que se daban cita de forma extraña el éxito profesional y la integridad moral más irreprochable, adobado todo ello de un físico seductor. Al escritor apenas le quedaba una fisura para ironizar contra los críticos, y eso era todo lo que daba de sí.

—Si no hay nada más interesante que la vida de una mujer separada —intervino Lucía—. Yo misma, aquí me tienes —y se dirigió a mí—, este hombre ha sabido contar a la perfección la historia de mi vida. Y eso que no nos conocíamos, ¿verdad, Raúl?

En eso estribaba su éxito, en volver interesantes las vidas desgraciadas y anodinas de las mujeres que, como Lucía, gastaban cantidades ingentes de su tiempo en enterarse de las vidas de los personajes de Raúl.

En algún momento de la conversación, y de un modo más bien histérico, Lucía, como si se hubiese acordado de algo urgente que tenía por hacer, se apresuró a pagar todas las consumiciones.

—Os invito a mi casa —propuso, segura de que no habría objeciones—, una última copa tranquila.

Raúl estuvo presto en un segundo. Antes de que hubiera ningún acuerdo, él ya se había puesto el abrigo y esperaba firme la voz de mando. Aquélla parecía su noche de fin de curso. Estaba dispuesto a acostarse con Lucía si hacía falta. Ya tendría todo el resto del año para recuperarse. Por mi parte, nada me apetecía menos que continuar con aquellos dos. E Isaac no parecía querer despegarse.

—Quisiera hablar contigo —conseguí decirle.

Pero Isaac, silencioso, esquivó mi proximidad.

—No te he dicho que Lucía es mi ex mujer —dijo de pronto—, ella ha leído tu libro. ¿No es cierto, Lucía?

—Claro ¡tú eres África! —se entusiasmó ésta con una amistad repentina que no pude rebatir—, ¡tú eres amiga de mi hermana! Piedad me ha hablado muchísimo de ti.

En ese momento quise desaparecer, pero sólo dije:

—Sí.

Antes de que me diera cuenta, Lucía ya se había colgado de mi brazo y nos dirigimos a la salida. Busqué el auxilio de Isaac, pero vi en sus ojos a un náufrago. Era él el que parecía necesitar ayuda; no yo. Así me embarqué en el soborno, una vez más, de Isaac. Él tenía ese poder de retenerme, si era lo que se proponía, y yo ya me había empeñado en dilucidar mis dudas con respecto a Alberto y Piedad.

Subimos los cuatro a un descapotable negro que conducía Lucía. Yo me senté detrás, junto a Isaac.

—¿Y qué? —me preguntó, antes de que yo dijera nada—, ¿contenta en Madrid? Precisamente hoy iba a llamarte. Hace tiempo que no sabía de ti.

—He empezado a trabajar —dije—. Quisiera devolverte algún día tu dinero. Es mucho más de lo que puedo aceptar.

—Oh, no te preocupes por eso. Tú sólo tienes que escribir. Tu libro ya está en la imprenta. Supongo que de un momento a otro te lo enviaré. Sólo espero que lo próximo que escribas me lo entregues a mí.

—No creo que mis poemas valgan tanto —insistí, y a continuación informé a Isaac de mi encuentro con Stoneman y de su nuevo trabajo como mensajero.

—Todo el mundo tiene derecho a un cambio —dijo, sin más comentarios. No parecía muy afectado por esta falta, y dirigió la conversación hacia otro lado—. Así que te has hecho amiga de Piedad. Me pidió tu teléfono. He elegido uno de sus cuadros para la portada de tu libro. Te gustará.

Consideraba que Isaac era mi amigo, pero no podía entender qué interés tenía en que tratara a Piedad ni por qué me había ocultado la clase de persona que era. Ahora, la proximidad de su hermana me intimidaba.

—Nos hemos visto sólo una vez —dije en un susurro—, me pareció que pintaba bien.

—No te la presenté el día del Mars porque la vi un poco mal. Si la vida no se hubiera cebado con Piedad, hoy estaría muy arriba. Aún está a tiempo. Sólo le falta un poco de confianza en sí misma. ¿Así que no os habéis visto más? Es una pena. Te podría enseñar mucho. Yo la quiero un montón —dijo, empleando aquella expresión tan impropia en su boca, y añadió bajando la voz para no ser oído—: A su hermana —dijo señalando a Lucía, que conducía el coche con una atención concentrada— la tiene muy preocupada. Pero creo que ahora está mejor.

Me di por enterada y permanecí en silencio al lado de Isaac, que también se mantuvo callado todo el trayecto, hasta que llegamos a la casa de las camelias y las buganvillas. Yo ya había estado allí en otras ocasiones, pero tuve cuidado de que no se notara. El mismo Isaac se mantenía discretamente a un lado, mientras Lucía preparaba unas copas y disponía el lugar donde íbamos a sentarnos. La nueva situación de Isaac, completamente sumiso a los mandatos de su ex mujer, me produjo una extraña sensación, pero a él no parecía importarle. Lucía siguió conversando con el escritor y yo aproveché para abordar a Isaac de nuevo con mis preguntas cuando nos quedamos solos en lo que algún día había sido su biblioteca. Ahora era una habitación infantil con un par de camas gemelas. Pero se notaba que allí no dormía ningún niño. Los edredones tenían una rigidez de escaparate, y en la mesita de noche había algunas joyas y un cenicero lleno de colillas.

—Mi mujer, bueno, mi ex mujer está esperando adoptar un niño. Es lo que siempre ha querido de mí. ¿Te imaginas lo que sería yo con un hijo?

Nada de lo que me contaba conseguía distraer mi preocupación. Había podido mantenerme apartada de Piedad, pero no acababa de entender por qué Isaac, siendo mi amigo, no me había puesto en antecedentes antes de conocerla.

—No es que me importe demasiado —dije, sin entrar en sus problemas y retomando los míos—, pero, la verdad, si no hubiera visto que Piedad y tú os conocíais, muy posiblemente ni siquiera hubiera aparecido por su casa. Será muy buena persona, pero está loca de atar. Quedé una vez con ella y me contó que se ha cepillado a un tío.

Isaac, de pronto, se indignó contra mí.

—Qué te iba a contar yo. Yo no tengo ningún derecho a juzgar a los demás. Tampoco voy por ahí contando tus aventuras.

—¿Pero qué aventuras? —protesté—. Esto es diferente. Esa mujer me ha dicho que se ha cepillado a un tal Alberto. Espero que no tenga nada que ver con el que yo conocí en Manoteras. Espero que no sea cierto.

Isaac simplemente contestó:

—Ya eres mayorcita para saber a quién tienes delante.

¿Qué querías que te dijera? Los otros existen, yo no puedo evitarlo.

Tenía toda la razón. Mi relación con Isaac era extraña. Yo misma me había distanciado de él pero en el fondo necesitaba que estuviera ahí, como una especie de hermano mayor, o de padre.

Isaac se levantó con un gesto de crispación muy teatral. Parecía desesperado. Echó un vistazo desde la puerta de la habitación para comprobar que no nos oían, y luego continuó. Le resultaba imposible hablar bajo.

—Aunque Lucía y yo ya no estemos casados, para mí Piedad sigue siendo mi cuñada, y le tengo un gran respeto. Sólo pasa por una mala racha.

—Podías haberme puesto en antecedentes al menos —insistí.

Isaac decidió calmarse.

—Cuando la conocí hace diez años —empezó, sentándose en la cama de nuevo— todavía era una persona interesante. Estaba en la mejor galería de Madrid. Pero luego se encontró con ese tipo, con Alberto. Ese tío nunca tuvo el menor talento, pero supongo que tiene un gran corazón de hierro, como todos los seductores. Tú lo conoces, por cierto. O sea, que debes de saber de lo que te hablo.

—Coincidí con él en el piso de Manoteras —le recordé—. Ya te lo dije, a los pocos días de llegar yo, ese tipo desapareció.

—Claro que desapareció —se rió Isaac—; han pasado diez años y todo ha cambiado. Entonces, cuando conoció a Piedad, no paró hasta conseguir su dinero, su amor, y al final consiguió hasta que dejara la pintura. Lucía intervino para que se redujera al mínimo su asignación familiar. Piedad y Lucía dejaron de hablarse. Lucía se fue a Estados Unidos y Piedad vio cómo su amor se desvanecía en el aire. El gran amor de su vida desapareció como había venido.

No se volvió a saber nada de él. Ella nunca se recompuso de aquello. Estuvo un tiempo en un sanatorio, y ahora ha vuelto a Madrid. Lucía está intentando ayudarla, pero no es fácil. Las personas desequilibradas tienen una fuerza que puede con todo. No voy a caer en la tentación de culpar a Alberto de la locura de Piedad. Como no voy a caer en la tentación de culpar a Piedad de mi separación. Afortunadamente, aunque ya no vivamos juntos, las cosas entre Lucía y yo se arreglaron, pero cuando tú conociste a mi cuñada, el día de la fiesta del Mars, yo no tenía ningún interés en hablarte de ella, ni para bien ni para mal. ¿Así que te dijo que había matado a Alberto? Dios mío, no sabía que siguiera obsesionada con ese tema.

En ese momento no pudimos seguir hablando. Lucía y el escritor trasnochado se acercaban. Ella se reía con ganas. Era de esa clase de personas que sólo se ríen en su casa, y de una manera tan exagerada y prepotente que parecen estar diciéndole a uno: Hazme reír, para eso te he invitado a mi casa. O quizás es que consideran la risa un gesto de hospitalidad, una manera peculiar de hacerle sentir al invitado lo simpático y lo interesante que resulta todo lo que dice, pero, como suele pasar con algunas formas de educación destinadas a limar las diferencias entre las personas, a menudo resultan contraproducentes. La de la risa, por ejemplo, suele evidenciar el vacío del dueño, su aburrimiento, y pone contra las cuerdas al huésped, que, si es tonto, acaba extenuado intentando dar lo mejor de sí, todo sea por estar a la altura de la imagen que de ellos refleja la actitud del anfitrión, y si no es tonto, igualmente se agota intentando alegrarle la vida a la persona que tiene delante, tan satisfecha de todo y tan displicente que acaba por dar lástima. El escritor, por su parte, no escatimaba esfuerzos, pero yo no podría decir en cuál de los dos bandos estaba. Lo que estaba claro era que, desde que había ingresado en el coche de Lucía y luego en su casa, su persona se había degradado. Ahora ya no hablaba de las críticas de sus novelas sino que iba saltando de un tema a otro para conseguir la atención de Lucía, que reía más alto cuanto más aburrida estaba. Ella misma no lo sabía, pero sus zancadas, largas y precisas, siempre a tiro fijo, la dirigían hacia nosotros, en busca de un nuevo campo de acción donde poder ejercer su devastación sistemática. Intenté recomponerme antes de que entrara en la habitación. Isaac no se inmutó.

—Le estaba contando a África lo del niño —dijo, y se quedó callado con la cabeza colgando entre los hombros. Sabía que a Lucía la halagaba hablar de eso.

—Es que Isaac es muy egoísta —dijo ella—; aunque tuviéramos nuestro propio hijo, estoy segura de que nunca lo aceptaría. Estaría gracioso. Sería capaz de secuestrarlo para cobrármelo en dinero.

El comentario no podía ser de peor gusto, pero Isaac se rió. El cariño que había entre los dos se medía por la intensidad de los insultos que se intercambiaban. En eso, ella era generosa y se veía que le quería: siempre dejaba interpretar a Isaac el mejor papel. Al verlos juntos me di cuenta de que la gracia de Isaac era probablemente el resultado de un esmerado trabajo por parte de Lucía. Lo que Isaac era en bruto, ella había conseguido pulirlo hasta la sofisticación. Isaac, por su parte, había conseguido sacarle partido a su grosera naturalidad.

—Tienes razón —respondió—. Y, siendo mi hijo, siempre podría secuestrarlo cuantas veces quisiera.

—Y por fin serías un hombre libre. Ya te dije que eras tonto.

Hasta cierto punto era previsible aquella exhibición de confianza. Estaban en la casa que habían compartido, era casi una obligación hacer saber algunas intimidades. Lo contrario hubiera dejado un lugar para la duda, y así todo estaba muy claro: Isaac estaba allí, sentado sobre la camita infantil que ocupaba ahora el lugar de su biblioteca, pero aquélla no era ya su casa. Aunque nadie se creería, viéndole y conociéndole, que había sido suya la decisión, el destronamiento no parecía afectarle. En su trato con Lucía se observaba cierta obediencia, un trato de respeto que siempre mantenía, aunque ella se empeñara constantemente en retarlo, y, sin embargo, Isaac no resultaba dañado por ello. Parecía conocerla a la perfección; ésa era su única autoridad: una mezcla de respeto e indiferencia.

Nos movimos los cuatro al salón. Raúl parecía un tanto cansado. Sus recursos para distraer a Lucía se habían agotado y el sueño se apoderaba de él. No hay nada más bochornoso que un hombre luchando con el sueño. Toda la soledad y el desamparo de una persona a la que no se conoce demasiado se hace patente en ese momento del bostezo inhibido, cuando los ojos quieren desaparecer bajo los párpados. Raúl forcejeaba consigo mismo por mantenerse vivo. Su rostro se recomponía por momentos y volvía a la carga con voz de micrófono. Isaac todavía no había retirado todas sus cosas y se perdió con Lucía por algún rincón de la casa. Estaba claro que nos habían llevado hasta allí para no estar solos, pero daba la sensación de que aún tenían algo que decirse, aunque no fueran más que cariñosos reproches.

El escritor y yo nos quedamos en la sala, mirándonos las caras. Raúl era un hombre realmente educado. En ningún momento dejó que le venciera el sueño, se recompuso y me trató todo el tiempo con la misma simpatía que debía de prodigar entre sus interlocutores tempranos de la radio.

—¿Y qué autores te gustan más? —me espetó con su sonrisa impecable.

Yo empaté la conversación por el lado que me pareció que sería de su agrado.

—La verdad es que todavía no te he leído. Debo de ser de las pocas que quedan en este país —dije.

—Bueno, no es para tanto. Esto de los lectores es como lo de la audiencia. Habría que saber cuántos de los que se compran un libro acaban leyéndoselo.

—El caso es que se lo compren, ¿no?

El escritor se rió.

—Claro, lo que importa es la voluntad.

—Eso, la voluntad y las estadísticas. Si al final todo es una suposición.

—Bueno, hay cosas que no son suposiciones. Hay cosas reales, que pasan de verdad, cosas terribles... —y su rostro iba interpretando aquel drama de su imaginación—, desastres de la vida diaria. A mí es lo único que me interesa, la vida de la gente.

Mientras Raúl divagaba podían oírse las voces de Isaac y Lucía, que charlaban en la cocina. A partir de un momento se hizo evidente que discutían. Desde el salón, Raúl disimuló todo lo que pudo y yo empecé a incomodarme abiertamente.

—Creo que me voy a ir —dije de pronto—, es demasiado tarde.

Y me levanté para coger mi abrigo.

—Espérame, yo también me voy.

Hasta ese momento tuve la sensación de que Raúl pensaba pasar la noche allí, por su manera de entregarse a la butaca, como para no levantarse nunca más. Pero en un segundo sus movimientos se volvieron diligentes. Yo me dirigí a la entrada, donde estaba el colgador. Isaac y Lucía, en la cocina, hablaban en voz baja, pero pude oír perfectamente lo que decían:

—«¡Qué código de honor ni qué mierda!» —oí a Lucía.

—«Eso no puede ser. ¿Quieres que me quede contigo?» —contestó Isaac.

116

—«Alberto sigue ahí —la escuché a ella, al borde de la crispación—.Vino a pedirme dinero. Pero yo te di a ti las seiscientas mil, y esto se acabó.»

—«Te juro que está muerto —oí a Isaac—. Stoneman es absolutamente leal. Alberto Bossi tiene que estar muerto.»

Aquella frase me alcanzó a la altura del colgador, pero todos los abrigos se vinieron abajo en aquel momento. Mis dedos no conseguían recuperar el tacto de las prendas desparramadas por el suelo. Con el estruendo del colgador, Isaac acudió de inmediato. El escritor corrió desde el comedor a ayudarme, pero sólo levantó del suelo su abrigo, y esperó, con una sonrisa de palo, a que yo desentrañara el mío del montón de ropa buena y abandonada que Lucía iba olvidando en aquel rincón. Isaac, con toda tranquilidad, me ayudó a ponerme la chaqueta que él mismo me había regalado. Pensé que nunca podría encajar el brazo por la manga.

—Nos vamos —dije, buscando el auxilio de mi compañero repentino—. Raúl y yo nos vamos.

Lucía no salió para despedirse.

—No me has dicho dónde vives ahora. —Isaac estaba más amable que nunca, intentando compensar los desaires de Lucía—. Ven a verme más.

—Claro —dije sin atreverme a mirar.

Y me fui escaleras abajo en la compañía silenciosa de Raúl Renier, que no pronunció una sola palabra. Cuando llegamos a la calle, él dejó que yo parara el taxi, se metió primero y allí detrás, ignorándome por completo, se puso a dormitar. Su rostro era plácido. Las mujeres elegantes, cuando están en sus casas, pueden permitirse desaparecer en cualquier momento. Es un toque de distinción. Eso parecía pensar mi compañero de taxi cuando el taxista nos preguntó la dirección.

—A la radio, por favor —dijo Raúl, sin interesarse lo más mínimo por el lugar a donde iba yo.

Debían de ser las cinco de la mañana. Ya estaba amaneciendo. Aunque en la ruta mi parada era primero, me dejé llevar. Cuando llegamos a la radio, los ojos de Raúl se despegaron automáticamente, se bajó sin despedirse y olvidó pagar su parte. Me quedé viendo de cerca el edificio donde un día se había leído mi poema.

—Ahora puede llevarme a Zurbano —dije; fue todo lo que hablé, y noté que me castañeteaban los dientes al mencionar mi dirección. Aquella noche hubiera preferido no salir nunca del taxi, no saber mi nombre ni el de mi calle.

Cuando estuve en el apartamento no podía creérmelo. Me senté en la butaca que había comprado con el dinero de Isaac, miré a mi alrededor y me detuve en las estanterías. Luego me levanté y fui a la terraza desde donde se veían todos los techos amanecidos de la ciudad. Y allí me quedé, viendo amanecer, disfrutando de un apartamento en el centro de la ciudad, sentada en la silla frente a la máquina de escribir, contemplando unas vistas que me estaban costando lo que seguramente mi amigo Isaac había cobrado por matar a un hombre al que yo conocía. O por pagar para matarlo.

SEIS

Llevaba veinticuatro horas despierta, pero aquella mañana
no pude recuperar el sueño. Después de la conversación
que había oído en casa de Lucía, mi cabeza empezó a dar
vueltas buscando una explicación a los móviles de Isaac, al
origen de aquel dinero, a la intervención de Piedad en
todo aquello, y al modo extraño en que la supuesta recom-
pensa había venido a parar a mis manos. Porque eso fue lo
que concluí. Semejante cadena de circunstancias no se podía dar y, sin embargo, mi mente trazó sin problemas el
hilo invisible que iba de unas a otras. ¿Por qué me había
dado Isaac aquel dinero? Quizás no tenía que ver con
nada, quizás todo era producto de mi sugestión, pero era
imposible saberlo hasta que se hiciera de noche y tuviera la
oportunidad de aclararlo con él. Ni siquiera sabía dónde
vivía ahora. Desde luego, a la casa de Lucía no pensaba ir.
Pero Isaac, ¿qué me podía decir? Tanto en el caso de que lo
que yo creía fuera cierto como no, ¿adónde me llevaba intentar averiguarlo? Toda la mañana la pasé imaginando la
manera de contar el hilo con Isaac. Hice compulsivamente
varias llamadas de teléfono a la redacción esperando hablar con alguien, pensando en incrementar mi colaboración, pensando en la forma de recuperar el dinero que ya
había gastado para poder devolverlo, pero hasta las doce
allí nunca había nadie. Cuando por fin contestaron en la

sección de cultura pedí que rectificaran el modo de envío de los libros. A partir de ahora iría yo misma a buscarlos. Para empezar, no me apetecía volver a ver a Stoneman ni por casualidad.

—¿Estás segura de que no prefieres que te los envíen? —Mi redactora jefe se extrañó.

—No quisiera que se perdieran en el camino —dije—; a veces no estoy en casa y no me fío de mi portero.

Pobre Clemente. En aquellos momentos era la única persona de la que me fiaba.

—Pues claro, como tú quieras.

Mi redactora jefe estaba más receptiva que nunca aquella mañana. Aproveché para pedirle más trabajo. Empecé a palpitar de alegría cuando se puso a barajar dos o tres propuestas de reportajes y entrevistas. Me asombró aquella muestra de respeto repentino.

—Claro que tú podrías hacer algo más —me dijo—. Ha llamado aquí Piedad Hero preguntando por ti. ¿Es que la conoces?

Yo había vivido olvidada de Piedad durante un tiempo, pero Piedad no se había olvidado de mí. A aquellas horas, su hermana Lucía ya la habría informado de nuestro encuentro. Por mi redactora me enteré de que mi gran amistad, la pintora Piedad Hero, la pintora maldita que había vuelto a Madrid para meterse en mis poemas y hacerse mi íntima, acababa de llamar al periódico para pedir mi teléfono. Yo era una recién llegada, yo quería hablar de libros, quería alejarme de todo aquello, pero Piedad ya se había convertido en una pesadilla para mí. Una pesadilla que lo invadió todo, una pesadilla decidida a filtrarse en cada recodo de mi limitada geografía. Allí donde creía poder dar esquinazo a mi gran amistad, allí me estaba esperando ella. Me quedé sobrecogida escuchando los elogios de mi redactora, sin saber qué decir.

—Es muy buena artista —añadió—. Hace tiempo que no se sabe nada de ella. Prepara una exposición. Podrías hacerle una entrevista. Las entrevistas se pagan bien.

Piedad no había perdido su tiempo. Mi encierro de dos meses no me había preservado de nada y ahora mi propia jefa se encargaba de narrarme las cualidades pictóricas de sus lienzos y lo interesante de su personalidad. «Es amiga de amigos míos —creo que dije, para satisfacer la curiosidad de la redactora—, pero no me siento a la altura. Ya sabes, yo prefiero libros.»

Colgué en el acto y a continuación hice algo que me abochornó: fui directa a la pared a desconectar el cable del teléfono, como si eso me librara de algo, como si Piedad no estuviera ya merodeando la casa de Zurbano, a la espera de poder encontrarse en algún momento conmigo. Intenté por todos los medios centrarme en el trabajo que tenía pendiente, decidida a seguir haciendo la vida de todos los días, como si fuera muy normal trabajar de espaldas a un teléfono desconectado. Cuando ya no podía controlar la protesta de mis tripas, me levanté y bajé corriendo para comer algo en el bar de enfrente. Clemente permanecía en su puesto.

—Creí que no estabas en casa. No te vi bajar a desayunar.

—Me he levantado un poco tarde —le dije, sin ánimo de hablar más.

—Ha pasado dos veces una amiga tuya —me informó—, y le he dicho que no estabas. Ni siquiera se me ocurrió llamarte, lo siento.

Con su prurito fisonomista, Clemente me dio la descripción exacta de la gran pintora.

—Era bajita, con los ojos muy abiertos, y el pelo largo. Y no hace mucho que ha pasado. Apenas veinte minutos.

El portero se sentía frustrado de no haber podido cumplir con su trabajo. Y a mí me pareció que más por ella, por

Piedad, que por mí. Aunque no la conocía de nada, lo imaginé subyugado bajo el influjo de Piedad, que se había metido en el bolsillo a mi jefa y a mi portero como podría haberse colado sin presentarse siquiera, sólo con su sonrisa tranquila, en el portal mejor guardado de Madrid. Clemente era para mí más que un portero. Desde ese momento sólo fue un portero más. El aprendizaje de la vida se asienta en estas pequeñas decepciones. No es que yo tuviera idealizado a mi portero y ahora él me sorprendiera con alguna bajeza; sino que vi en él, de pronto, el brillo de un ideal, la estela titilante que Piedad había dejado en sus ojos, antes tan maravillosamente lúcidos y certeros. Un loco tiene ese poder. Que Piedad me hubiera seducido a mí no me importaba tanto, pero que engañara a mi portero me causó un dolor inexplicable. Puede resultar una estupidez, pero de todos los cambios que Piedad introdujo en mi vida fue esta modificación en la mirada de Clemente lo que me causó mayor dolor.

Crucé la puerta en dirección a la calle con una total resignación. Podía indignarme, pero no me servía de nada. No sólo no podía hacer nada para impedir aquel acoso sino que además tenía que alegrarme por ello. Al menos eso parecían pensar mi redactora jefe y mi portero. Clemente hasta se atrevió a hacer un comentario totalmente impropio.

—Vaya amiga más guapa que tienes —dijo antes de que la puerta se cerrara del todo—. ¿Es famosa, no? Creo que está comiendo en el Vip's.

En un último intento de conservar mi imagen de Clemente, desde el otro lado del cristal dije adiós con la mano, pero ya lo vi como a otra persona. Él también parecía mirarme de un modo diferente, como a un ser excepcional, como a alguien que tiene la inmensa suerte de ir a reunirse en cualquier momento con Piedad Hero.

No rehuí ese encuentro. Entré en el Vip's como todos los días, dispuesta a encontrarme con Piedad, o con quien fuera. Si me había visto metida en aquel embrollo, de algún modo tendría que salir, y no sería huyendo. La cafetería estaba atestada de gente. Me senté en un taburete de la barra para no esperar, pero en seguida vino el camarero a avisarme. Por el rabillo del ojo vi su mano señalándome la zona de comedor.

—La esperan en aquella mesa —me indicó.

Mi amiga pintora levantaba la mano y me sonreía desde el fondo de la cafetería. Estaba más arreglada que la última vez. Frente a ella se sentaba un hombre al que sólo podía ver de espaldas. Entre ambos quedaba una silla vacía, como si todo ese tiempo estuvieran esperándome. Fui a ocupar aquel sitio. Me quedé congelada cuando vi que era Alberto, el compañero de mi amiga de Manoteras, el que la acompañaba.

—No sabía que vivieras aquí. —Piedad irradiaba felicidad. Alberto, el ex de Belén, le daba la mano y se limitaba a mirarla—. Quería que conocieras a Alberto —continuó ella, y éste se levantó para darme un par de besos.

—Ya nos conocemos —dije apartándome con brusquedad.

Los ojos de Piedad, como la primera vez que la vi en su casa, echaban chispas al hablar, su rostro estaba alterado por un entusiasmo en el que no cabía ningún otro interlocutor.

—Ya lo sé. Ya me lo ha dicho —dijo, tocándose el pelo con coquetería—. Madrid es muy pequeño, ya ves, esto es lo que tiene de bueno. Me alegro tanto...

No sabía de qué se alegraba. Al parecer, el hecho de que aquel hombre y yo ya nos conociéramos deshacía algún extraño nudo de su pelo. Yo empecé a sentirme mareada. Alberto permanecía al lado de la mesa sin decir nada, como si todos los comentarios le fueran ajenos, como si verdaderamente estuviera muerto.

—Tenía ganas de verte, ¿sabes? —empezó Piedad, y entonces en su cara se dibujó una mueca de niña traviesa—. El día que estuviste en casa —dijo, dejando escapar su risa por el hueco del diente que le faltaba—... no sé, no quería que pensaras mal de mí. Mi única culpa es haber sido cómplice del tiempo todos estos años, haber querido seguir viva sin mi amor, no haberme muerto. Pero es el tiempo el asesino, África. Yo no he matado a nadie, ya ves.

Las palabras iluminadas de Piedad se me pusieron en el estómago. Me sentía atrapada en medio de aquellos dos. Miré a Alberto, sin estar muy segura de que fuera un fantasma o un hombre de carne y hueso.

—¿Cómo llevas lo de la exposición? —pregunté a Piedad, sin ser capaz de entrar en conversación.

El entusiasmo de Piedad rápidamente se mudó en fastidio. Yo no sabía ni adónde mirar.

—No puedo —me dijo—, no me siento con fuerzas todavía. Se acerca el día y tiemblo, creo que no asistiré. Además —y sus ojos echaron chispas—, ahora tengo cosas más importantes que hacer. Es la primera vez en mi vida que me siento libre. —Y vi cómo sus manos buscaban las de Alberto por encima de la mesa. No sé qué es peor, si presenciar el amor de dos personas o asistir a la hipocresía de ese amor. Me pareció muy claro que Alberto sostenía aquellas manos sin la menor entrega, con un cierto apuro incluso. Intenté ahorrarle su pudor, si es que tenía alguno. Seguí hablando de otros temas. Me pareció que era la única manera de zafarme de todo aquello.

—Pero ¿y los cuadros? —me interesé, sin atender al tercer comensal.

—Bueno, sí, me han pagado por ellos —dijo Piedad—, los he entregado, pero creo que no voy a hacer acto de presencia. Sólo pensar en volver a enfrentarme al mundo me da náuseas. De verdad, sé que te han pedido que me hagas una entrevista, pero creo que no tendría nada que decir.

Hasta cierto punto era cómico. Piedad o era una enferma o una estúpida, todavía no lo sabía bien. No quería nada de nadie, pero toda ella era una súplica.

—Pero has venido a eso, ¿no? Quizás tendrías que hacer un esfuerzo —dije, mirando de reojo a Alberto, e inmediatamente me arrepentí.

Piedad se escondió detrás de su mechón deshilachado, y con una mirada de tristeza dijo:

—Hace mucho que he perdido la voluntad.

—¿Y por qué me buscabas, entonces? —No pude reprimirme—. Creí que querías contarme algo de la exposición. Mi redactora jefe me dijo que habías pedido mi teléfono.

Los ojos de Piedad se encharcaron de lágrimas. Alberto la miraba sin inmutarse, como si hubiera presenciado aquella escena muchas veces.

—Oh, no, por favor, no pienses eso de mí.

No sabía qué quería decir; en su tono tan pronto se advertía una confidencia como una amenaza. Alberto había dejado de comer y nos miraba imperturbable.

—No creo que yo sea la persona adecuada para hacerte una entrevista —musité—. Apenas sé nada de pintura.

En ese momento, el rostro de Piedad se congeló, como si mis palabras se hubieran hundido en lo más profundo de una herida.

—Yo no quiero que pienses que me une contigo el menor interés —dijo, elevando la voz hasta el punto de llamar la atención sobre las mesas vecinas—. Sólo me gustan tus poemas, nada más. Ni siquiera estoy segura de que me gustes tú. Por lo que respecta a mi trabajo, no te pedí que hicieras ninguna clase de promoción. Te he visto una vez en mi vida y te he contado lo único que me ha pasado digno de contar. Es posible que no te vuelva a ver nunca más, y que yo esté muy equivocada respecto a ti. A partir de ahora, si te preguntan por mí, haz el favor de decir que no me conoces de nada. ¿Está claro?

Su indignación fue tan súbita que no tuve tiempo de reaccionar. La clientela del Vip's es un público discreto, acostumbrado a toda clase de escenas. Yo comía siempre allí y no pensaba protagonizar la del día.

—Tienes razón —dije intimidada—, perdona. Todo ha sido un malentendido.

Antes de dejar mi silla ya alguien la había pedido. Cuando estuve de pie noté el cansancio de las horas sin dormir, y estaba visto que aquel día tampoco iba a comer. Las piernas me flaqueaban, pero agradecí como nunca el abarrotamiento del local. Me sentí a salvo engullida entre la gente que esperaba de pie. Me pareció oír la voz de Alberto, que me llamaba, pero no miré para atrás. A continuación oí un zumbido que me transportaba muy lejos de allí.

Cuando volví en mí, lo primero que vi fue la luz de una bombilla en los ojos. De no ser por aquello hubiera creído que me encontraba en la calle, a juzgar por la cháchara del gentío y el estruendo de coches y motos que llegaba a mis oídos. Pero estaba en una habitación, y Alberto, el hombre que por primera vez me había hablado de Piedad, el mismo con el que compartí piso en Manoteras y que apenas hacía una hora estaba comiendo en el Vip's, me miraba con los ojos quietos. Tardé unos segundos en reconocerlo. Me sentía débil. Él parecía esperar de mí alguna reacción, como si estuviera al otro lado de un cristal. Hice un esfuerzo por levantarme, pero me frenó la presencia de otras dos personas.

—¿Puedes moverte? —oí—. ¿Cómo te sientes ahora?

Piedad no estaba en medio. Después de mi desmayo en el Vip's, Alberto me había recogido y me había conducido hasta allí. Supuse que era su casa.

—Has tenido suerte de estar con nosotros —dijo, como si el encuentro que habíamos tenido en el Vip's hubiera sido fortuito.

Los otros dos personajes parecían estar esperando su turno para ser presentados. Eran dos hombres, uno de ellos pasaba de los cincuenta y el otro era joven. En ambos se repetía el mismo rostro, un fondo blando y moreno donde se asentaban, como atornillados, los ojos duros y negros, y las formas más amables de la nariz y la boca. Parecía imposible que aquellos ojos pudieran sonreír, y sin embargo así era. Los dos, de brazos cruzados, me sonreían con una ternura complaciente, como si acabaran de hacer una buena acción.

—Son mis hermanos —me explicó Alberto—, les he hablado mucho de ti.

No sabía qué decir. En seguida, el mayor de los hermanos llenó el silencio.

—En esta casa se admira la poesía —dijo, y su frase resultó de una solemnidad ridícula. Se llamaba Jerónimo, y ni su edad ni su aspecto se correspondían en absoluto con aquel candor. Aunque vestía pulcramente y hubiera pasado por un padre de familia, había en él un aire de irresponsabilidad—. Lástima que a papá no le interese la poesía —añadió.

—Papá siempre ha creído que me fui de casa por culpa de la poesía —me aclaró Alberto—. En casa, como ves, no hay ningún libro.

Noté que Alberto hacía esfuerzos ante sus hermanos para hacer de nuestro encuentro algo normal. Pero nada era normal. Ni su desaparición del piso de Belén, ni su mutismo durante el encuentro con Piedad, ni la confianza que parecía empeñado en retomar conmigo ahora. Miré a mi alrededor. Aquél era un salón bastante sobrio de una vivienda pequeña situada justo encima de la calle, en el entresuelo. Las dos ventanas que daban al exterior estaban abiertas de par en par. Todo era bastante lúgubre, pero los tapetes de las mesas y los tapizados de las butacas estaban elegidos como si alguna vez se hubiera asentado allí el lujo.

—Papá es lo que piensa —contestó Rafael, que era el nombre del hermano pequeño—, y alguna razón tendrá.

Yo no sabía qué cara poner en medio de aquel asunto. Ni siquiera sabía cómo había ido a parar allí. Alberto me explicó que Piedad nos había traído en coche y que no había querido subir. Sus hermanos parecían estar a punto de irse, pero esto no acababa de suceder.

—Ahora ya me siento mejor —dije, y me senté en la silla esperando alguna clase de explicación.

—¿Ya no vives en Manoteras? —me preguntó Alberto.

—No... —titubeé, sin atreverme a hablar de nada más en medio de aquella expectación. Pero Alberto no se inhibió ante sus hermanos.

—Cuando tú llegaste a la casa de Belén —dijo—, lo nuestro ya se había acabado. Aquél era nuestro último fin de semana, de hecho.

Jerónimo y Rafael seguían allí, distraídamente atentos a la conversación. Aquella falta de intimidad resultaba en apariencia muy cómoda, como si todos ellos fueran una sola persona.

—Afortunadamente —dijo Jerónimo, que en seguida se vio apoyado por el asentimiento de su otro hermano—. Esa chica no te dejaba vivir.

Alberto se quedó callado, como si le avergonzara que yo escuchara aquello. Y a continuación Jerónimo empezó a pasearse de una ventana a otra. De pronto se oyeron los pitidos de un coche. Jerónimo se apartó de la ventana y corrió a buscar el maletín que había dejado sobre la silla y se despidió.

—A las diez llega papá —le recordó Rafael, antes de que Jerónimo saliera dando un portazo, y volvió a dirigirse a mí—: ¿Y tienes proyectos en la ciudad? Debe de ser maravilloso venir de fuera. Nosotros somos de aquí de toda la vida. Bueno, Alberto ha viajado un poco, pero siempre hemos sido de aquí. Así que vas a publicar un libro. Maravilloso —dijo—, Alberto conoce a mucha gente de la literatura. Él también es escritor. Es el mejor. No es porque sea mi hermano.

Alberto me miraba sin expresión, manteniéndose al margen de la conversación, como si le molestaran las palabras que oía. Rafael parecía dispuesto a quedarse allí por una eternidad, pero de pronto se despidió.

—Quizás nos veamos esta noche —me dijo sin perder la sonrisa—, si te quedas a cenar. Vendrá papá —añadió—. Estoy seguro de que le gustaría conocerte.

Y después de despedirse desapareció por la misma puerta que Jerónimo, con una bolsa de plástico en la mano, como si fuera a buscar algún recado.

Me quedé sola con Alberto. Pero él permaneció callado, hasta que la situación se volvió tensa.

—Gracias por ayudarme —dije—, pero me voy a mi casa. No entiendo qué hago aquí.

Alberto contestó con torpeza:

—Te desmayaste en el Vip's, ya te lo dije.

—¿Y tú? —pregunté, después de haberme estado reprimiendo todo aquel tiempo—. ¿Qué hacías tú allí?

Alberto parecía asustado.

—Le pedí a Piedad que nos encontráramos. Quería hablar contigo.

—¿Para qué? —protesté—. La única relación que me

une con ella es haber ido un día a su casa ... —empecé, pero me reprimí de seguir hablando—. Isaac me la presentó. Eso es todo.

Alberto parecía más confundido que yo.

—Yo también pensaba que Isaac era mi amigo. Lo conocí cuando empecé a salir con Piedad. Pero no te conté la otra parte, cuando todo empezó a ir mal. La familia de Piedad es gente de dinero, ya lo habrás podido comprobar. Su hermana no quería que nos viésemos. Me consideraba el origen de todos sus males. No tuve más remedio que alejarme de ella. Piedad todavía piensa que la abandoné. Por mi parte, ha pasado tanto tiempo de aquello que he preferido olvidarlo. Ya que no se puede evitar que pasen ciertas cosas, al menos uno tiene derecho a olvidarse de ellas, ¿no? He vivido este tiempo con Belén, hemos sido felices. Pero ya ves. Piedad es una persona especial, siempre acaba encontrando el hueco por el que colarse. Dejé la casa de Belén porque supe que ella estaba en Madrid. La mujer de Isaac contrató a un matón para eliminarme. A Belén no pude darle ninguna explicación de mi marcha. ¿Qué podía decirte a ti?

—Nada. Yo no quiero saber nada —dije.

Me levanté y me dirigí a la puerta con la intención de irme, de no involucrarme ni por un segundo más en aquella historia. Pero Alberto me paró, como si aún no me lo hubiera contado todo.

—Piedad y yo estamos en paz —dijo—. El tiempo ha puesto las cosas en su sitio. Sólo hay una cuenta pendiente entre nosotros o, mejor dicho, entre su hermana y yo, pero eso no lo sabe Piedad. Ella se siente culpable, pero es de algo que ni imagina. Te contó que quiso matarme, ¿no es así? Se lo cuenta a todo el mundo. Lleva diez años purgando un crimen que no cometió más que dentro de su conciencia. Y sin embargo fue su hermana la que pagó para

Cuando llegué al portal me encontré en pleno paseo de Delicias, junto a la estación de autobuses. Si en ese momento hubiera cogido un autobús para irme a Galicia, todo se habría acabado, pero no lo hice. También para desaparecer del mapa hace falta valor. Lo único que quería era sacarme de encima toda aquella mierda, y la cosa sólo podía acabar por donde había empezado. Tenía que ver a Isaac y entregarle lo que me había dado. Pero esto no me tranquilizó. Estuve tentada de volver sobre mis pasos y contarle la verdad a Alberto, contarle lo que había oído en la casa de Lucía, y lo del dinero. Pero no podía hacer una cosa así. Aquel tipo indolente al que había conocido en la casa de Belén sabía que yo era amiga de Isaac, con quien él tenía una cuenta pendiente. Había desandado el camino desde Piedad hasta mí, me había localizado en la casa de Zurbano, me había conducido hasta la suya y ahora se atrevía a involucrarme en todo aquello. No podía ni pensar en volver a verle. Imaginé que Piedad era la víctima de aquel desaprensivo, y pensé incluso en buscarla para contárselo, para sacarla de aquel engaño. Pero eso era lo último que no podía hacer. A esas alturas podía dudar de la esquizofrenia de Stoneman, pero de la locura de Piedad no se me ocurrió dudar: había en ella algo doloroso, la huella de un sufrimiento pegajoso y denigrante, la marca inconfundible de la desgracia, aunque esa desgracia estuviera a veces teñida por fulgurantes rayos de entusiasmo que no hacían más que constatar su naturaleza quebradiza. Desde que era una niña y me despertaba de pronto en medio del sueño asustada porque había cometido algún delito insubsanable, un robo absurdo de un lapicero, o la culpa agobiante de una delación injusta, nunca me había vuelto a ver en semejante atolladero. El pánico me invadió. El miedo empezó a hacerme flaquear de un modo tal que, si apretaba el paso, sentía que me iba a caer, si me metía en la boca de un de sus días. Esto sí que tenía que contárselo, aunque sólo fuera por carta. En todo Madrid no se hablaba de otra cosa que de Eleuterio Costa y de su gran obra, *Las caras de Dios*. Habría que ver qué cara pondría Dios si le cayeran encima seiscientas mil del ala. Con estos pensamientos me invadió una risa interior y nerviosa que casi no me dejaba andar. Si tuviera que contar aquello, nadie se lo creería, pero de todo ha de haber en la viña del Señor, pensé, mientras la risa ya me llegaba al cuello y los viandantes volvían su cara para mirarme. ¿Estaré loca?, pensé, debo de hacer cara de loca, como Stoneman. O como Piedad. Una loca suelta de los que habla Eleuterio en su obra, locos con los que a partir de ahora tendré que convivir, ellos me han elegido, ¿no? Quizás es una prueba, Dios nos pone a todos a prueba alguna vez, si me hubiera quedado en mi casa de Armor ahora estaría tan tranquila viendo a Leonardo da Vinci. Y miré el reloj, era la hora de la serie, y apuré el paso por ver si aún llegaba al final. Quizás, me dije, si Leonardo no hubiera salido de su casa nunca hubiera descubierto el submarino, quizás hay algún submarimo escondido debajo de toda esta agua sucia, y Dios quiere que me moje, que bucee, que me deje llevar de la mano de sus locos, ellos tienen el secreto, ellos saben conducirte hasta el centro de todos los naufragios. Y Clemente, me acordaba de mi portero según me acercaba a casa, tenía ganas de verlo. Siempre había envidiado un poco el destino de los porteros, de los taxistas; espectadores sedentarios de la vida. Clemente sabía lo que había que hacer en cada momento, su rostro me inspiraba confianza, tenía ganas de llegar al portal y sentarme un momento en el sofá de piel del vestíbulo y oírle comentar el resultado del último partido, o alguna noticia del periódico, allí a salvo, en el sofá de piel, mirando pasar a la gente por la calle, a los cuerdos y a los locos, todos muy seguros de su destino, una barra de pan o un asesinato, un buzón de correos o un robo, quién sabe adónde se dirigían todos aquellos con los que ahora me cruzaba; en sus caras me parecía adivinar por momentos el rostro de Stoneman, quizás me seguía, intentaba desprenderme de esta sensación de pánico y a continuación pensaba si no habría alguna manera de deshacerme de aquella persecución, si no habría alguna manera de encerrar a los locos en alguna prisión, de eliminarlos, sí, claro, eliminarlos. Justo antes de llegar al portal tuve una determinación. Si todo aquel asunto del dinero no se aclaraba aquella noche, al día siguiente iría con el asunto a la policía. Lo sentía mucho por Isaac, su bondad sería recompensada algún día, pero yo no iba a cargar ni un segundo más con aquel muerto. Dios mío, cómo puede ser, cómo alguien puede pagar para matar, cómo alguien puede matar, cómo alguien puede morir. Y lo que todavía resultaba más gracioso. Durante cuánto tiempo alguien puede salvarse de una amenaza semejante. Quizás en su casa, Alberto corría un grave peligro, quizás era él el que vivía bajo amenaza, quizás no debía postergar ni un segundo más lo de la policía, no era para reírse.

Cuando llegué al portal de Zurbano respiré hondo. Me sentí a salvo nada más ver la calva de Clemente detrás del mostrador. El hombre se levantó para abrirme el portal y tuve que contener mi alegría y mis ganas de abrazarle, de echarme en sus brazos, de darle las gracias por existir, por estar allí tan tranquilo leyendo el periódico, por tener aquella cara de portero, ni culpable ni inocente, ni tonto ni listo, ni malo ni bueno, pero loco no, Clemente loco, no.

SIETE

Después de la conversación que mantuve con Alberto en su casa, cuando llegué a Zurbano el portero pareció animado por mi repentina actividad. Los porteros siempre están deseando que en las vidas de sus inquilinos algo suceda. Yo llevaba dos días entrando y saliendo, y él se alegró de verme, como si me hubiera echado de menos, como si me estuviera esperando. Pensé en ese momento advertirle que no dejara pasar a nadie sin avisarme antes. Los escritores a menudo son presa de locos sueltos, de lectores ávidos de encontrar su reflejo en las páginas de sus libros, de personajes que buscan su sombra. En el poco tiempo que yo llevaba en Madrid ya había tenido ocasión de comprobarlo, pero no encontré en mi portero a un cómplice, precisamente. Clemente, mi sencillo Clemente, sonrió al verme. Y aun antes de que yo cruzara la pesada puerta de cristal, inmediatamente después de devolverle la sonrisa, vi junto a él a mi pesadilla, a Piedad. Estaba sentada en el pequeño sofá de piel del vestíbulo, charlando tranquilamente y fumándose un pitillo. Creo que me di cuenta de que aquella mujer era una auténtica loca sólo en ese momento. Ya había tenido muestras sobradas de su delirio, pero fue entonces, mientras pude observarla desde el otro lado del cristal, viéndola charlar distraídamente con mi portero y ofreciéndole un cigarrillo, cuando comprendí que quizás Alberto tenía razón, que aquella mujer no me iba a dejar en paz. Era ella la que decidía. Era ella la que organizaba su día y el mío. Era ella la que había decidido ser mi amiga, y sólo ella renunciaría a las bondades de mi compañía cuando le viniera en gana. Desde mi caída en el Vip's todavía seguía allí, como una centinela. Me extrañaba que Clemente no se diera cuenta de su desvarío. Pero qué podía reprocharle yo a mi portero, si lo mismo me había pasado a mí. Me pareció que con mi presencia había interrumpido una distendida conversación. Piedad corrió ella misma a abrirme la puerta, adelantándose a los pasos de Clemente, mientras éste, plácidamente relegado de sus servicios, daba confiadas y sabrosas bocanadas al cigarrillo que le acababan de ofrecer.

—¿Qué tal? ¿Cómo te encuentras? —me recibió la loca, con un tono lastimero—. ¿Cómo te ha ido?

En ese momento podría haberme plantado. Decirle simplemente: Tú y yo apenas nos conocemos, y ahora tengo trabajo. Explicarle entonces a Clemente que no dejara por nada del mundo pasar a aquella mujer. Cerrar todas las puertas de mi vida y de mi casa y tratar de deshacerme de lo único que me unía con ella: aquel maldito dinero; la amistad de Isaac. Pero algo más nos unía, aunque yo no lo quisiera reconocer. Algo que me impedía darle un portazo y poner las cosas en su sitio. Y eso fue lo que se instaló en mí desde el primer día en que la conocí y que ya nunca pude, ni podré jamás, desalojar: una especie de simpatía, o de compasión, una cierta limpieza de corazón que intuía en ella y una indudable inteligencia que quizás la habían desestabilizado, pero que también la volvían admirable. Es posible que todo fuera un espejismo, pero ese espejismo volvía a renacer cada vez que la veía. En cuanto Piedad se acercaba, el miedo desaparecía y lo sustituía la pena.

Entonces la loca se interesó por mí.

—¿Cómo estás? —me preguntó—. ¿Ya estás mejor?

Mientras bajaba el ascensor, Clemente se deleitaba con el acento de profunda preocupación de Piedad. Seguramente, nunca en su vida había visto a nadie tan entregado a ayudar a los demás. A todas luces, Piedad le parecía un ángel. Y nuestra amistad, un tesoro de valor incalculable.

—Ya tenéis aquí el ascensor —dijo, abriéndonos la puerta con una displicencia exagerada, como si aquel encuentro fuera lo que había estado esperando durante todo el día. Yo no hice ninguna invitación. Piedad se adelantó a subir conmigo hasta el ático.

El tiempo que duró el trayecto del ascensor fue infinito. Piedad me miraba. Por un momento tuve la impresión de que no me dirigía a mi casa, sino a la suya. Que no era ella la infiltrada, sino yo. Ella estaba tranquila. Era yo la que no sabía cómo sacármela de encima. Intenté prepararme para lo que puede ser una conversación con un loco. Recordé el día que me quedé con Eleuterio a solas en Manoteras y pensé que no debía ponerme nerviosa. Que lo que temía de la locura de Piedad era poco o nada comparado con lo que debía temer de todos los cuerdos que la rodeaban. Ella, con los brazos relajados, miraba al suelo y me miraba, sonriendo. Cuando estuvimos arriba abrí la puerta de mi casa y la invité a pasar. Pensé que le encajaba perfectamente el papel de víctima. Yo misma deseaba entonces gritarle e insultarla. Piedad caminó directamente a través del pasillo hasta la terraza desde donde se veían los techos de Madrid. Como en otras ocasiones, le brillaban los ojos.

—Tienes una casa muy bonita. Le he dicho al portero que me avise si queda alguna vacía por aquí. Quiero cambiarme de piso.

Preparé una copa para mí y noté mi pulso tembloroso.

Cuando iba a servirle otra a ella me acordé de que no bebía. Le ofrecí un vaso de agua. Piedad se sentó en el sofá con un gesto de timidez.

—Perdona que no te haya avisado —empezó—, no sabía cómo encontrarte, pero tenía que decírtelo. Quería que te vieras con Alberto. Quería...

—¿Por qué me mentiste? —la interrumpí—. ¿Por qué me dijiste que le habías matado?

Por mucho que intentara controlarme me resultaba imposible. Piedad era una persona que cuando la tenías delante parecía normal. Esto a ella parecía sentarle bien; que una imbécil como yo se la tomara en serio.

—Lo siento, de verdad —me contestó, recuperando una cierta normalidad—. Siento lo que pasó en el Vip's. Perdí los papeles, no debí impacientarme. Ya me imagino que para ti debe de ser difícil entenderlo todo de repente. No nos conocemos tanto, aunque yo siento que te conozco de toda la vida. ¡Estoy en tus poemas, de veras! No sé cómo lo has hecho, pero ahí estoy. Supongo que por eso te conté mi historia. Y luego, cuando estuviste en mi estudio... —sus ojos brillaron de excitación—, de pronto llegó la luz. Me has iluminado, África. Soy yo la que tengo que darte las gracias. Yo a Alberto lo daba por muerto. Y cuando te vi, cuando te lo conté, entendí, de pronto, que no podía ser. Y, efectivamente, a los pocos días Alberto apareció. Quería que lo supieras. Quería que te vieras con él. Por eso no fui con vosotros —dijo, con un aire de picardía—. Qué, ¿qué tal fue?

Sabía que estaba delante de un ser enloquecido y que aquel comentario sólo alimentaría más su delirio, pero no me resistí.

—O sea, que yo lo resucité.

Piedad se dio media vuelta y compuso una cara de interrogación.

—Yo no soy idiota —exclamó defendiéndose—. ¿Acaso te parece que Alberto es una persona de este mundo?

Soporté con estoicismo todos y cada uno de sus desvaríos. Y aún quise hacerla entrar en razón.

—Mira, Piedad, no sé lo que os ha pasado ni me importa. Pero nada justifica una mentira tan repugnante.

No me dejó terminar. Piedad se rió estrepitosamente, y de pronto se calmó.

—No me imaginé que volvería a verle. Te lo aseguro. Se presentó en mi casa de repente. Después de diez años de no dar señales de vida. ¿Tú crees que es normal? ¿Lo encuentras normal? Cuando desapareció yo no tuve ninguna explicación. Ahora no las quiero. Ahora me es igual. Dentro de mí Alberto está muerto. Lo maté yo. Sí. No lo mató nadie. Tuve que matarlo yo.

De nuevo volvía a desvariar. Era imposible hablar con ella de nada. Su presencia me resultaba indeseable, y sin embargo la veía como a una pobre mujer con la que la vida se había cebado injustamente. Todavía no sabía quién era más responsable de su locura, si ella misma, su hermana, Alberto o todos juntos. También Isaac participaba en aquella especie de carnicería en la que la pieza más castigada resultaba ser el corazón de Piedad. La veía como un ser absolutamente quebradizo. Pero quizás también era ésa su atracción y su fuerza. Aquella mujer sufría un grado de alteración tal que cualquier cosa que yo dijera sólo serviría para acabar de dispararla, así que opté por callarme.

—¿Has conocido a sus hermanos? —continuó— ¿Te ha llevado a su casa? Durante el tiempo que vivimos juntos fueron mi familia. ¿Cómo están? ¿Qué hacen? Yo me ocupé de esa casa durante un tiempo.

Su voz transitaba de una dolida gravedad a una candidez titubeante. Me miró, pero no sabía qué decirle. No me fiaba de ella. Piedad se levantó del sofá y se dirigió a la terraza. En su mirada resplandecía el brillo de una intensa excitación. Su pequeño cuerpo, de espaldas, parecía el centro de un imán que magnetizaba todo el cuarto.

—Las ciudades parecen hechas para desconcertarnos —dijo—. Odio todo esto, esta imprevisión, esta violencia. Me fui de aquí enferma, huyendo de todos. Me hice a la idea de que Alberto ya no estaba, llegué a acostumbrarme a la soledad. Cuando descubres el verdadero rostro de la soledad ya nada te impresiona, no hay nada que se le parezca. Cuando Alberto vino a verme ya no quedaba ni rastro de él en mi corazón. Pero no quería que te quedaras con la impresión de mi locura. Cuando tengas treinta años te darás cuenta de que lo único que importa no es lo que los demás piensen de ti, sino lo que tú piensas de los demás. Escribes unos poemas muy hermosos, algunos se parecen a mi soledad. No permitas que los malos pensamientos ensombrezcan tu mirada. Yo me he pasado muchos años emboscada en ellos.

Como con las serpientes, en Piedad el aspecto repulsivo y el atractivo se abrazaban. Yo todavía no sabía por qué me había elegido para aquella exhibición.

—Y ahora ¿qué piensas hacer? —pregunté, intentando apartar la conversación del terreno de lo personal. Pero para Piedad ésta era su única dimensión. Cuando se movía en un campo objetivo se desilusionaba.

—Seguiré con la exposición —dijo, con una determinación casi infantil—. No estaba segura de poder con Madrid. Todos estos días he vivido en compañía de tu libro. Me has dado fuerzas para seguir.

—Me alegro —me atreví a añadir, dejándome llevar de la lástima que Piedad, sin dificultad alguna, me provocaba—; me alegro al menos de que sirva para eso. Es cierto que no nos conocemos mucho, pero seguramente Alberto no te ha hecho bien. Yo no quiero meterme con él. Yo no sé nada de su vida ni de la tuya. Pero me pareces una gran pintora.

Piedad se quedó mirándome con una expresión de hastío, como si le hubieran recordado algún deber desagradable.

—¿Por qué no hablamos de otra cosa? Hace mucho tiempo que ha pasado todo. A Alberto le agradezco que haya venido a verme. Pero ya no soy yo la que tiene que salvarle...

Sus ojos emprendieron entonces un vuelo lento y coqueto a través de las estanterías, como buscando una frase apropiada con la que ilustrar su recién estrenada libertad, y, finalmente, aquellos ojos hinchados por una emoción cazada en su vuelo, o quizás de dolor, se posaron en mí. A continuación sólo dijo:

—Ahora te toca a ti.

Yo sólo bebí. Bebí un trago y otro. Acabé la copa antes de hablar.

—Qué dices —me defendí—. ¿No te das cuenta de que todo eso es una fantasía? ¿Que en todo esto yo no tengo nada que ver?

Piedad me miraba desde abajo con una sonrisa casi de burla.

—Quizás todo lo que yo he pasado es necesario para que Alberto y tú os encontrarais —insistió—. No me duele, no te creas. Lo veo venir.

Luchar contra aquel delirio era inútil. No hace falta estar loco para creer que las relaciones humanas obedecen a una especie de ciencia exacta que continuamente se reordena. Conozco mucha gente dispuesta a creer en algo así. Sin embargo, las ecuaciones que una mente débil es capaz de hacer para que le salgan las cuentas es algo que sobrepasa todo mi entender.

—Todo eso es una barbaridad —intenté explicarle—.

Coincidimos en la misma casa durante un tiempo. Eso es todo. No tengo ni el más mínimo interés en su persona, desde luego. Ni antes ni ahora.

—Ya lo sé. No me refiero a eso.

—¿Qué, entonces?

La cara de Piedad se transformó teatralmente.

—El amor es una porquería —dijo súbitamente—, tú me lo dijiste cuando nos vimos en mi casa, y tienes toda la razón. Es verdad que el amor es algo sucio. Por eso, quizás, sólo se pega a las almas puras, a las almas limpias y cándidas como tú. No somos tan diferentes, África. Lo supe desde que leí tus poemas. Y cuando te vi ya no lo dudé. Somos almas gemelas.

Me quedé callada. Me costaba no ruborizarme al oír aquellas palabras, las que yo misma le había inspirado, al parecer. Debe de ser la prueba de fuego de un pensamiento sano: su incapacidad de reproducción. En el mismo momento en que aquello que pensamos otra persona está dispuesta a apoyarlo y creerlo, nuestras propias creencias se escapan de las manos, se vacían. Es curioso que el mundo entero viva por imponer su pensamiento a los demás, y que el mismo mundo de las ideas se fundamente en su difusión. La sola repetición de una idea anula toda su fuerza, la sola aceptación de una fe la vuelve malvada y perversa. No me extraña que los acuñadores de ideologías piensen al segundo día de su triunfo en asuntos más prácticos, como por ejemplo hacer rendir monetariamente su invento. Debe de ser lo único que alivia del bochornoso espectáculo de los adeptos, lo único que devuelve al líder un poco de dignidad: poner en marcha una empresa, poner a producir la tropelía de su vanidad.

—El amor —continuó Piedad con toda vehemencia— no purifica; al contrario, te llena de mierda. Los que nos dedicamos a estas cosas no hacemos más que quitarnos de encima esa roña, tratamos de preservar no sé qué clase de virginidad. Pero somos la presa favorita del innombrable. Porque la verdad es que en ese pozo uno acaba encontrándose con su propio elemento, con su naturaleza. Es así, es una especie de reconciliación con nuestra miseria. Yo tardé diez años en recuperarme de todo eso, pero ha valido la pena, te lo aseguro. Y fíjate. Quién me lo iba a decir. Después de diez años sólo me queda una sensación de agradecimiento. Ojalá Alberto y tú seáis felices todavía más tiempo. Él se lo merece. Y quizás tú también. Quizás tú sepas hacer lo que no hice yo.

—De verdad que no entiendo qué quieres decir —repetí—, no sé ni hacia dónde vas. Y no creo que Alberto valga la pena, de verdad.

Piedad me miró con un gesto de desprecio. Intentar sondear las razones de la locura de otro es un tiempo que nunca se recupera. Sin embargo, en aquel momento todavía me importaba lo que aquella mujer pudiera sentir. Era extraño. Por encima de todo tenía que hablarle claro. Me parecía que ella se lo merecía. Y no quería hacerle daño. Pero eso era muy difícil. La mínima entrada en razón la sacaba de sus casillas, y entonces se defendía con una violencia desproporcionada.

—Tú eres tonta —me increpó con una brusquedad repentina—, escribes bien, pero eres tonta. Los tontos a veces también escriben bien. A veces pienso que hay que ser un poco tonto para hacer algo en la vida.

Aguanté el aguacero con resignación. En parte porque estaba en mi casa, pero sobre todo porque Piedad, en medio de toda aquella historia siniestra, me conmovía. Su inestabilidad, su inquietud, su seguridad, su interés. Todas las contradicciones venían a caer sobre ella, y ella las manejaba con una increíble propiedad. No disimulaba su fragilidad, y eso le daba una extraña consistencia. No parecía una persona cualquiera, cuyas tres cuartas partes permanecen en la sombra. Ella, loca o cuerda, vivía en una continua exposición.

—Muchas gracias —dije— por tu piropo.

—Es que es verdad —repuso Piedad, aflojando su irritación, lo que se traducía en un gorjeo dolido y maternal—, sólo un tonto no se daría cuenta de lo que digo.

—Pues ya me explicarás —concluí—, ya me explicarás qué tengo que ver yo con Alberto, contigo, con todo esto.

—No, yo no te explicaré nada. —En ese momento Piedad se levantó para irse—. Sólo vine a ver cómo estabas.

Estuve esperando todo aquel tiempo a que se fuera, pero de pronto aquella posibilidad me agobió.

—Espera —dije—. No quiero que te vayas así. Yo podría decirte lo que pienso de Alberto, lo que pienso de su manera de actuar, el interés que tiene cuando viene contigo a verme, y cuando me lleva a su casa. No creo que haga falta conocer mucho a una persona para saber de quién se trata. A veces, esa proximidad no nos deja ver. Alberto me ha contado un poco la relación con tu hermana...

No me dejó seguir.

—No mezcles a mi hermana en esto —me cortó—. Se ha pasado la vida intentando salvarme de no sé qué fantasmas. Alberto no le parecía bien. Nadie le parecía bien. Encontraba a todo el mundo responsable de mi locura, lo que ella llama mi locura.

En ese momento, Piedad tomó asiento en una silla y comenzó a sollozar. Yo no podía consolarla. Era un ser que se hundía y resucitaba sin transiciones. Cualquier intervención sólo hubiera disparado su histeria.

—Dios mío —dijo de pronto abrazando su propia cintura, como si todo aquel tiempo hubiera estado evitando un fuerte dolor—, ¿por qué es tan difícil vivir? —Y empezó a inquietarse por la habitación, buscando la puerta de salida.

Intenté calmarla, pero me di cuenta de que mi error ya no tenía marcha atrás.

—Lo siento —dije—, pensé que te interesaba saber lo que Alberto me ha contado.

—¿Por qué me va a interesar? Yo ya no quiero nada de Alberto. ¿Por qué me hablas de mi hermana? ¿Tú qué sabes de ella y de mí? —gritó—. ¿Por qué me haces recordar todo eso? Pensé que eras una persona de fiar, pero ya veo que me equivoqué. Yo no he venido aquí a contarte mi vida, ¿entiendes? ¡Vengo a hablarte de la tuya! No sé cómo la gente como tú puede escribir poemas. Eres cruel. Eres desconfiada. Pero la culpa es mía por dejarme engañar. Siempre tengo que cometer el mismo error. Siempre tengo que fiarme de los demás.

No pude reaccionar. De nuevo, la tempestad se había desatado dentro de Piedad. Por un momento tuve miedo de ser agredida. Pero, aun por encima de la extraña sensación de ridículo, era más fuerte el instinto de protección. Piedad, que había abierto la puerta para irse, continuó lanzando frases insultantes.

—Aquí te dejo, con tu piso alquilado y tus poemas. Sigue escribiendo tus mentiras, que no llegarán a ninguna parte. Cuanto antes me aparte de ti, mejor. No sé por qué tuve que acercarme a ti.

Antes de cerrar la puerta, Piedad volvió su cara congestionada y llorosa para decir:

—¡Ah!, y te prohíbo que digas a nadie que me conoces. Tú y yo no nos conocemos de nada. Nunca nos hemos visto. No quiero que mi nombre suene en tus labios. No quiero que nadie piense que tengo que ver contigo.

Entonces, cuando ya parecía que se iba, volvió atrás. Ya no lloraba. La rabia había desaparecido de su cara de modo instantáneo. Como si yo no existiera, Piedad se dirigió tranquilamente a mi mesa de trabajo. Tomó mi agenda, rebuscó entre las hojas y empezó a tachar algunos nombres.

—Isaac es amigo mío —dijo—. No tienes por qué llamarle, al menos de mi parte. Y haz el favor de no buscarme, no quiero volver a verte nunca más.

Luego desapareció escaleras abajo. En la agenda, bajo la rabia de unas tachaduras que traspasaban el papel, habían desaparecido dos nombres y dos teléfonos, el de la propia Piedad y el de su hermana.

Cuando me quedé sola intenté reírme de todo aquel espectáculo, pero no podía estar más angustiada. Desde que Piedad se fue todo pareció derrumbarse, como si aquella mujer se hubiera llevado consigo el equilibrio que sustentaba las paredes. Miré los sofás, el escritorio, los cuadros, y tuve la impresión de que todo aquel decorado se había levantado para que Piedad desarrollara su escena. Ahora que ella se había ido nada tenía sentido, mis propios objetos parecían estar esperando el momento de ser reemplazados por otros, se habían quedado muertos, sin significado. No sabía qué pensar. Cualquier cosa que hiciera o sintiera estaría mal hecha. Ni siquiera podía llamar a la antigua casa de Isaac, su número de teléfono resultaba indescifrable bajo la cólera de la tachadura. Determiné que seguiría paso a paso las instrucciones de Piedad, eso era lo único que podía hacer. Nadie podía rescatar a aquella mujer de su locura; no iba a hacerlo yo. Quizás se hundiría, quizás llegaría a brillar como una estrella, pero en ese proceso decidí no intervenir. Primero me había seducido, luego me había mentido, después me había acercado a Alberto y ahora me maldecía y me denigraba con una cólera que jamás había visto encarnada en nadie. Si estaba loca, yo no podía hacer nada por ayudarla. Pero loca y todo, me pareció indignante que Piedad tachara de mi agenda el nombre de Isaac. Hice esfuerzos para no juzgarla ni un minuto más. Decidí considerarla un ser absolutamente necesitado, pero tampoco este pensamiento me reconciliaba. «Me estoy volviendo loca —pensé—. Yo misma me volveré loca si sigo reprochándole cosas a alguien que ni siquiera sabe dónde está.»

A continuación me levanté del sofá y marqué el teléfono de la redacción del periódico. Mientras sonaban las llamadas empezaba a sentir el alivio del contacto con algo exterior. En seguida reconocí la voz de mi redactora jefe.

—¿Diga?

—Soy África. La entrevista con Piedad Hero no se podrá hacer —dije—, soy incapaz de localizarla.

—Oh, no te preocupes —respondió la redactora—. ¿Quieres su teléfono?

No lo dudé ni un segundo.

—Mira, no. Tampoco sé nada de arte. Si tienes libros, prefiero seguir con las críticas.

—Tengo dos o tres títulos que te pueden interesar. ¿Te los mando?

—Vendré a buscarlos esta tarde —dije—, me pasaré por el periódico.

—Como tú quieras.

—De acuerdo.

Antes de salir hacia la redacción intenté trabajar un poco, pero no pude concentrarme. Pensé que por la noche iría al bar de Isaac y le entregaría el dinero que me quedaba, me desharía de una vez de su grandiosa generosidad. Pero la ansiedad no me dejó esperar. A las siete de la tarde me levanté para ir a la casa de Lucía; sólo ella podía decirme dónde localizarle. Cogí el dinero que me quedaba, unas cuatrocientas mil pesetas. Me sorprendí a mi misma evitando los encuentros con mi portero. Clemente ya no estaría en su puesto. Me aliviaba este pensamiento mientras bajaba en el ascensor. Pero el mismo Clemente me abrió la puerta al llegar a la planta baja.

—¿Todavía trabajando? —pregunté.

El portero apenas me miró. No quise sentirme aludida por su brusquedad, pero Clemente me paró antes de que saliera a la calle.

—Tu amiga, al bajar, ha dejado esto para que te lo entregue —dijo secamente.

Recogí un pequeño paquete. El envoltorio era de periódico. Le di las gracias rápidamente y salí sin detenerme a mirar lo que había dentro.

—¿Pobrecita, ¿no? —comentó Clemente con un tono más que insolente—. Parecía un poco triste tu amiga.

No hice el menor comentario. Salí del portal dispuesta a entrar en la primera cafetería que encontrara para abrir el paquete. Pero evité el Vip's y, sin darme cuenta, empecé a caminar por las calles del barrio que nunca cruzaba, esquivando mis rutas habituales. Me metí por Bárbara de Braganza. Aquélla era una calle tranquila, de casas elegantes y gente de cierta edad. Entré en un pequeño café vacío. El camarero esperó a que me acomodara en una de las mesas y pedí un café. Aquel envoltorio que Piedad había dejado para mí contenía un libro. La cubierta estaba destrozada, pero aun así se leía perfectamente el título y, debajo, mi nombre y mi apellido. La ilustración de la portada era uno de los cuadros rojos y blancos de Piedad, uno de los que yo había visto en su estudio de Españoleto. En la casa de Lucía Isaac me había anunciado la salida del libro. Aquél era el primer ejemplar que recibía. Y Piedad se había ocupado personalmente de hacérmelo llegar. Me apresuré a hojearlo. En el interior había varias hojas rotas. La locura de Piedad se había cebado en aquel objeto inerme. Parecía que hubiera pasado por encima de él un camión. Había tal ensañamiento en el destrozo y era tan ridícula la agresión que quise reírme.

—¡Vaya con la hija de puta! —exclamé.

Pero Piedad sólo me inspiraba compasión. Todo aquello era absurdo y exagerado; lo único que podía hacer era ignorarlo. Y no me resultaba fácil. Lamentaba la forma en que el libro había llegado a mis manos y no quise seguir mirándolo. Lo guardé, me apresuré a pagar el café y me dirigí a la calle en busca de un taxi.

Cuando llegué a la plaza donde estaba la casa de Lucía aún dudé en llamar. La casa parecía cerrada. Casi me alivió que no hubiera nadie dentro. Llamé, esperé un tiempo prudente y, cuando ya me iba, Lucía se asomó a una de las ventanas. Estaba despeinada y llevaba una bata blanca a medio atar, como si se acabara de levantar de la cama.

—Estabas descansando, perdona —dije desde la acera.

—No te preocupes, ahora bajo.

En aquella ocasión, Lucía me pareció más humana, quizás por efecto de la prolongada siesta. Me hizo pasar con toda amabilidad. En el suelo, justo al lado de la puerta, todavía yacía el colgador que yo misma había tirado la noche anterior. Nadie se había preocupado de recogerlo.

—Me alegro mucho de que me vengas a ver —dijo—. Tu libro es maravilloso. No pude decírtelo ayer, pero estoy muy orgullosa de publicarlo. ¿Lo has visto ya? ¿Te lo han mandado?

—No —mentí. Y de nuevo tomé un camino no previsto. Estaba allí, tenía aquel dinero encima. Tendría que haberlo soltado y largarme. Pero no me atreví. No me atreví a contarle a Lucía lo que pasaba con su hermana, y lo que había oído en su casa de madrugada, y la conversación que acababa de tener con Alberto. Quería hablar primero con Isaac.

Entramos en la sala. Los volúmenes que antes había por todas partes habían desaparecido por completo, dejando en la casa un olor a vacío que también contagiaba a la dueña. Ahora, a la luz del día, parecía demasiado sola allí dentro, aunque su sonrisa se empeñara en desmentirlo. Disimulé la razón de mi visita.

—Quería darte las gracias por la publicación del libro —dije—. Ayer apenas hablamos de nada.

—A mí no tienes que darme las gracias —respondió—. Dáselas a Isaac.

Lucía era físicamente muy diferente a su hermana. Piedad era baja y con tendencia a engordar y Lucía era alta y extremadamente delgada. Su piel también era diferente. Piedad era morena y Lucía era rubia. Mientras que Piedad vestía descuidadamente, Lucía compraba sus trajes en las mejores tiendas. Sin embargo, la primera estaba rebosante de vida, una vida que se le iba por los ojos y le estallaba en las manos como una bomba imprevisible, y Lucía era una imagen de la muerte bien compuesta. Aquella visita inesperada, que la había cogido con el pelo desarreglado y en ropa de casa, le daba un toque de humanidad. También su ser estaba en consonancia con este relajamiento. Resultaba mejor persona, allí sentada, sin tener mucho que decir y sin forzar lo más mínimo la conversación. Parecía contenta de recibirme, como si toda la vida estuviera esperando que alguien la despertara de la siesta. Pero en esa vida, aunque pudieran tener lugar las ilusiones, no había sitio para el equívoco. Con la misma amabilidad que hasta entonces, ella misma se adelantó:

—Buscas a Isaac, supongo. Definitivamente ya no vive aquí.

Y entonces introdujo un comentario en clave de complicidad con el humor descarnado que también caracterizaba a su hermana, el único sello de familia que yo había podido advertir.

—Me lo he quitado de encima por fin. Ayer se llevó de la casa lo último que le quedaba.

Y estiró los brazos hacia arriba como una jugadora de voleivol. Las mangas de su bata cara resbalaron hasta dejar antebrazo y codos al descubierto, de una delgadez y una blancura enfermas. Me vi haciendo por segunda vez aquel día el mismo comentario:

—Isaac es mi amigo —dije.

—Y mío —recalcó Lucía con su humor autoritario—. Espero que le vaya bien con la editorial. Siempre ha querido hacer sus propios libros. Ahora se pasa el día allí. Está en el número doce de Alonso Martínez. Yo todavía no he ido a ver el local. Mira... —dijo de pronto con un entusiasmo pueril, como una persona no acostumbrada a regir su vida por la espontaneidad—, si no tienes prisa, me visto en un momento y vamos juntas.

Encontré rápidamente una excusa para que no me acompañara.

—Ahora no puedo —dije—. He quedado en pasar por el periódico.

La hermana de Piedad hizo un gesto de perplejidad.

—¿Qué otra cosa hay más importante que ver tu libro recién impreso?

No quise parecer una desagradecida.

—Nada. Me alegro mucho.

Lucía se rió.

—La soberbia se parece a la humildad —remachó, devuelta a su universo blando, tranquila en un mundo donde no había lugar para la sorpresa, segura de que, a pesar de mi pequeño desdén, los beneficios del azar, si existían, no podrían competir nunca con un presente bien calculado. Allí, sentada en su butaca, Lucía podía incluso admirar los destellos de la vanidad.

—No es eso —repuse—. Tengo trabajo que entregar.

—Los escritores tendríais que dedicaros a escribir y nada más —sentenció Lucía, que cuando mencionaba la palabra escritor o libro ahuecaba la voz.

—Por ahora el periódico es lo único que me da para vivir —contesté, y al momento me arrepentí.

—¿Estás sin dinero?

Creo que enrojecí sólo de pensar lo que llevaba en el bolso. Era difícil estar con Lucía sin verse cada momento obligada a rechazarla. La imaginé todavía más sola, sin nadie en quien depositar su magnanimidad.

—Lo del periódico no lo hago sólo por dinero —respondí.

Desde ese mismo momento la actitud de Lucía cambió. Se le veía en la cara que estaba eligiendo un plan alternativo para esa tarde, la cartera que iba a llevar y los zapatos que se iba a poner, mientras me despedía con una cortesía expeditiva.

—Ven cuando quieras por aquí —me dijo bromeando—, aunque sea a la hora de la siesta.

Yo ya estaba en la calle. Mientras me alejaba de allí pensé que aquella mujer parecía una Piedad superior, una Piedad que se hubiera salvado de la neurosis y las contradicciones y que ahora viviera pálidamente conforme en su mundo desalojado. Mientras su hermana se iba dejando jirones de piel por las esquinas de Madrid, empeñada en bajar cada día un poco más a los infiernos, Lucía había elegido salvarse, una tarea ardua que le tomaba las veinticuatro horas del día y en la que no había lugar para nada ni nadie más. Como una convaleciente eterna, Lucía lo miraba todo con distancia y condescendencia. Pero sobre todo vi en ella a una mujer fría, decidida. Me pareció muy claro que, a su lado, Piedad era inofensiva por completo.

La tarde de Madrid era plácida, nada que ver con mi espíritu, que luchaba contra el abatimiento mientras me dirigía a la editorial de Isaac. No podía quitarme de la cabeza la impresión que me había causado el encuentro con Alberto y, por encima de todo, me aturdía el recuerdo de Piedad. Ahora deseaba escribirle una nota, cualquier cosa que pudiera servirle de consuelo. Pero no podía hacer eso. Piedad era una catástrofe viviente y cualquiera que estuviera a su lado acababa siendo a la vez el origen y la primera víctima de esa catástrofe. ¿Y no lo era yo ya? Acababa de publicarse mi libro, pensé que tenía que comunicárselo a mis padres, hacía tiempo que no sabían nada de mí, pero ni siquiera tenía ganas de ver mis poemas impresos, todo se había teñido de pronto con los colores sucios y rojos de Piedad Hero.

Cuando llegué a la dirección de Alonso Martínez llamé al portero automático e inmediatamente la puerta se abrió. Subí en ascensor los tres pisos que llevaban a la editorial. Llamé.

—Adelante —la voz de Isaac, sonó desde dentro.

Estaba sentado ante una gran mesa de madera maciza. Me miraba con aquella expresión enfadada y hostil, como si nuestros encuentros fueran siempre inoportunos, tardíos.

—¡Dónde te has metido! Quería darte una sorpresa, pero ya veo que tú eres quien las da. Llevo todo el día intentando localizarte.

Quizás no era así con todo el mundo, pero para mí aquel gesto de reproche se había convertido en algo entrañable. Estaba rodeado de tres paredes forradas de estanterías con libros. Era su biblioteca, traída intacta desde la casa de Lucía. Aquella nueva ubicación las volvía un poco huérfanas, como si todavía no acabaran de acomodarse al lugar. Me quedé mirándolas, e Isaac se levantó para enseñarme el cuarto trasero, donde había podido albergar los libros de la cuarta pared, distribuidos en estantes metálicos. Estaba orgulloso de la operación.

—Aquí no hay tanto espacio —dijo—, pero he podido conservar intacto el orden de los libros. —Y acarició con fruición el lomo de tres volúmenes cuyos títulos repitió de memoria.

—Me alegro por ti —dije.

Él también parecía trastocado. Su risueña agresividad se veía alterada por la seriedad impostada de su nueva vida. Isaac iba de un lado a otro contestando el teléfono, clasificando papeles y ordenando libros, sumergido en una actividad que no le impedía seguir hablando.

—Espérame un momento —dijo—. Ya te dije que tenía algo para ti.

Y entonces su vozarrón de camionero retumbó en la habitación.

—¡Stoneman! —gritó—, tráeme el libro de África, por favor.

Antes de que el energúmeno engominado hiciera su aparición, Isaac habló de créditos, de ayudas a las pequeñas empresas, de becas a la edición. Estaba hecho un hombre de acción.

—Has vuelto a contratarle —comenté, intentando no demostrar mi aversión por aquel sujeto, pero Isaac pareció no oírme y continuó con su discurso de capataz.

—Un día te dije que te ayudaría, ¿no? Yo siempre cumplo lo que prometo.

—Tú ya me has ayudado mucho —repliqué—, de eso quería hablar contigo, precisamente.

En ese momento, Stoneman hizo su aparición con un paquete de diez libros embalados en plástico. Evité mirarle, pero la discreción de Stoneman hizo innecesarios mis esfuerzos. Dejó el paquete sobre la mesa y miró a Isaac, sin dirigirse a mí.

—Ahora ya te puedes ir, Stoneman.

Stoneman desapareció por donde había venido. Llevaba la misma indumentaria que cuando lo conocí: botas de *cowboy*, traje de rayas, tupé erguido.

—Es que no podría hacer este trabajo sin él —dijo Isaac—, creo que es la única persona en esta ciudad a la que le gusta la poesía. No te tomes a mal su pudor. No te ha saludado por reverencia. Stoneman te profesa una gran admiración.

Y casi inmediatamente volvió a hacer su aparición Stoneman, esta vez con un estilete en la mano. Sin mediar palabra, cabizbajo, desgarró de una sola tirada el plástico duro que abrazaba los libros, tomó uno, se lo dio a Isaac y volvió a su cuarto. Isaac me entregó el pequeño volumen. En ese momento aproveché para sacar del bolso el libro roto que Piedad había dejado en mi portería y lo dejé caer sobre la mesa.

—Tu cuñada —le conté—, o, mejor, tu ex cuñada vino a mi casa personalmente para hacerme saber que se había publicado.

Isaac se quedó callado, con aquellas hojas rotas ante sí.

—A ella también le gusta mucho la poesía —recalqué.

—Piedad no ha dejado de insistir para que tu libro saliera —respondió; su rostro había pasado del desconcierto a la normalidad con demasiada prisa.

—Preferiría no tener que verla nunca más —dije—, no sé lo que le pasa ni me importa. Si está enferma, hay manicomios para curarse, pero yo no tengo la solución de su locura, desde luego.

Isaac se levantó entonces de su pequeña mesa y su corpachón se paseó por delante de las estanterías. Estaba de espaldas a mí, rebuscando entre los libros.

—Eres cruel —dijo, siguiendo su búsqueda—. Piedad es una pobre chica.

Casi me reí, pero me contuve, temiendo que mi voz llegara al cuarto de atrás.

—¿Cruel, yo? ¿Quién es el cruel en esta historia, Isaac?

Isaac no se inmutó. Mis palabras no le causaron la menor impresión. Se volvió con un libro en las manos.

—Te dije que un día te prestaría el libro de tu paisano. Aquí lo tienes. Cuando lo hayas leído me lo devuelves.

Tomé el libro en mis manos. Un Eleuterio jovencísimo e irreconocible me miró aviesamente desde la fotografía de la contraportada. Era una edición de los años treinta. El título era sugerente: *Las cosas de Dios. Trastornos de la imaginación*. Pero no lo abrí. No había ido allí a recibir lecciones.

—Me gustaría hablar contigo de otra cosa —dije—, no sé si podríamos bajar a tomar algo.

Isaac pareció inquietarse.

—Podemos hablar aquí —dijo—. ¿Qué tienes que decirme?

—Yo preferiría bajar, si no te importa.

Isaac cogió una chaqueta de la silla, dejó conectado un contestador de su mesa y nos dirigimos a la puerta. Si Stoneman estaba todavía dentro, Isaac no se dignó a decirle adiós.

Entramos en un bar de tapas, justo debajo del inmueble donde se encontraba la editorial. La barra estaba llena de gente, mujeres y hombres solitarios esperando a alguien que no llegaba, leyendo el periódico y mirando a la puerta.

—Buenas —el camarero saludó a Isaac—. ¿Le gusta esta mesa, señor?

En su nuevo emplazamiento, Isaac ya había conseguido hacerse un hueco. Le conocían y parecía que le respetaban. Su aspecto no había mejorado en absoluto: seguía llevando barba de dos días, las gafas dobles y sucias, y una vestimenta más propia de trabajador de puertos que de editor.

Sin embargo, todo el mundo le trataba de usted. Yo ya había tenido ocasión de presenciar este espectáculo, y cada vez que se producía disfrutaba de él.

—Da gusto acompañar a un caballero —dije, mientras el camarero, con una breve inclinación, me ofrecía la silla—, la tratan a una de un modo diferente.

—Eso te pasa por ir con gentuza —se jactó Isaac.

Isaac siempre me hacía reír. Quizás era el gángster más grande de todo Madrid, pero de verdad que me hacía gracia. Aquél era el hombre arrogante que me había llamado por teléfono desde la radio. Él me había traído a Madrid. Luego me había dado dinero. Ahora publicaba mi libro.

—A ver, qué me quieres decir —prorrumpió Isaac.

—Quiero hablarte de Alberto —dije sin más preámbulos.

El rostro de Isaac se ensombreció. No se sorprendió; sólo dijo:

—Ya. ¿Y qué?

Continué:

—Tú sabes que vivía en la casa de Manoteras con la amiga que conocí en el autobús, cuando llegué a Madrid. El caso es que ese tipo desapareció al poco tiempo de llegar yo. Te lo conté. De él sólo supe entonces que tu cuñada había sido su novia. Pero yo todavía no conocía a Piedad. Y luego tú me entregaste aquel dinero. Un dinero que no me pertenece. He venido a devolvértelo.

En ese momento, Isaac se levantó de la silla e hizo ademán de marcharse. Me quedé sentada, ante las miradas de los clientes que, de hito en hito, leían la última página de sus diarios y acababan ahora sus cervezas sin que nadie llegara. Antes de que Isaac desapareciera totalmente de mi vista le alcancé. Su mirada era fría, sin expresión.

—Esta mañana, Piedad vino a verme con Alberto

—dije—. Supongo que Stoneman les dijo dónde vivía. Porque Stoneman tiene que ver con todo esto, ¿no?

Estábamos en la puerta del bar. Isaac hizo un gesto al camarero para que anotara en su cuenta los cafés, e intentó caminar por la acera, como si lo que yo le contaba no fuera con él, como si no entendiera ni una palabra de lo que oía.

—No sé de dónde ha salido ese dinero ni me importa —insistí—. Alberto me lo reclama, y ese dinero no es mío. Si tú no se lo das, se lo daré yo.

Isaac se volvió. Miraba al suelo con indolencia. Tenía los hombros caídos, como si en aquel momento se hubiera liberado de un peso que hasta entonces le había mantenido rígido.

—Haz lo que te dé la gana —dijo, y se introdujo en el portal.

Mientras el ascensor bajaba continué hablando:

—No quiero tenerlo —le dije—. Simplemente no quiero ese dinero.

El ascensor llegó e Isaac mantuvo abiertas las puertas.

—Te dije que era un adelanto. Eres libre de hacer con él lo que te dé la gana, tanto si te lo gastas como si no —me contestó—. A mí no me debes nada. Y yo no puedo preservarte de nadie. Si te ves con ese tipo, es asunto tuyo. Tú no me pides explicaciones. Yo tampoco te las voy a pedir. Ahora tengo mucha prisa. Ah, acuérdate, el domingo a las once tienes una entrevista para lo del libro. Aquí mismo, en la editorial. No falles, si es que te interesa. Con respecto a tu vida amorosa, no tengo el menor interés en conocer ni los detalles ni las personas.

No tuve tiempo de responder a aquella última insolencia. En ese momento, Isaac se internó en el ascensor y su figura desarreglada fue desapareciendo poco a poco.

Me quedé en tierra, con el paquete de libros en una

mano y en la otra el bolso con el dinero. Ése era Isaac, mi amigo Isaac. Podía ser un vulgar matón, podía engañarme, pero no me decepcionó. Una vez más me dejaba sola, aquélla era la única ayuda que ahora me podía prestar. Hasta ese momento había actuado dirigida por no sé qué clase de lealtad. Pero entonces supe que no volvería a verle, al menos durante mucho tiempo. No le llamaría, no iría a ninguna entrevista; él tampoco me iba a buscar. Allí se terminaba nuestra extraña amistad. Mi libro me importaba poco. No lo hice por despecho, o quizás sí. Sólo sentía que tenía que deshacerme de lo que no era mío, de tanta generosidad. Quizás me equivocaba tomando aquel camino, pero no tardé en parar un taxi. Le indiqué la dirección de Delicias, hacia la casa de Alberto. El taxi bajó desde San Bernardo hasta Cibeles, por la Gran Vía. Pero cuando estuvimos en la Castellana le hice parar. La Oficina Central de Correos estaba abierta también por las tardes. Había apuntado en mi agenda la dirección de la editorial de Isaac. Hice un giro certificado a su nombre y, antes de enviarle el sobre con el dinero, cogí uno de los billetes, pagué el viaje y salí del coche.

OCHO

Bajé las escalinatas de Correos sintiendo un gran alivio. Allí acababa mi participación en aquel absurdo lío, pero no me dirigí a mi casa sino que empecé a caminar hacia el domicilio de Alberto, dispuesta a hablar con él, a explicarle lo que sabía, a poner punto final a una historia que no me concernía. Ahora me pregunto qué hacía volviendo mis pasos atrás en vez de dirigirme a Zurbano, qué necesidad tenía de seguir dando explicaciones, o recibiéndolas, por qué no me paré allí y no dejé que todo terminara sin mí. Sin embargo tenía la sensación de que todavía me faltaba algo por saber. Cuando llegué al piso de Delicias, Alberto me abrió la puerta y me invitó a pasar. Le seguí hasta la pequeña sala de muebles y sofás familiares. En aquella ocasión no parecía que hubiera nadie en la casa. Alberto y yo nos quedamos de pie, uno frente al otro. Parecía sorprendido de volver a verme. Yo simplemente le dije la verdad. Le expliqué que, efectivamente, Isaac me había dado dinero, pero que acababa de devolvérselo. A partir de ahí, Alberto se relajó. Se sentó en una butaca y me invitó a sentarme. No parecía que aquello le contrariara lo más mínimo. Su nerviosismo se replegó y permanecimos un rato en silencio.

—Te agradezco que hayas venido —me dijo—. Tú no tienes la culpa de todo esto. Siento que te haya caído encima, lo siento.

—Cogí ese dinero porque Isaac es mi amigo —continué—. No podía imaginarme que tuviera que ver con Piedad y contigo.

—Ella no sabe nada del dinero —me dijo—. Piedad es una persona que se deja fascinar fácilmente, te busca porque le gustas. Le recuerdas a ella cuando era joven, y en cierto modo te pareces.

Obvié por completo este último comentario.

—No sé qué clase de fascinación puede tener —me defendí—, no he hecho otra cosa que rehuirla desde que la conocí.

—Oh, eso no importa —contestó Alberto—, quizás eso todavía la seduce más. Es ella la que decide. No tú.

No pude evitar que me indignara aquella observación. Hice un amago de levantarme.

—Es verdad que ese dinero no me pertenecía —dije, volviendo al tema en el que me mantenía más firme—, pero ya no lo tengo. Es todo lo que te quería decir.

Alberto inclinó su cuerpo hacia adelante con un gesto de indignación, como haciéndome entender.

—No me importa el dinero, ¿sabes? —dijo—. Hay algo que Isaac y Lucía nunca me podrán reponer.

—No sé por qué me lo pides entonces —repliqué—. No entiendo qué hago aquí. No entiendo qué hacías en el Vip's con Piedad, esperándome.

Alberto seguía mirándome, pero ahora su cabeza permanecía encajada entre sus hombros, parapetándose. Su rostro era el de un hombre desarmado. Me di cuenta entonces de que llevaba una indumentaria diferente a la de por la mañana. Parecía haberse arreglado para una cita. Nunca le había visto con americana. Por debajo, llevaba una camisa blanca, impecable. Los pantalones eran los tejanos de siempre, pero adquirían una dignidad nueva rematando en unos zapatos negros de piel brillante. Su pelo desaliñado estaba ahora húmedo y domesticado, ligeramente echado hacia atrás. En este nuevo marco, su rostro adquiría cierto candor, como el de un niño al que se ha vestido de adulto para asistir a una fiesta.

—Yo tampoco entiendo muchas cosas —dijo—. Hasta hoy no me he destacado precisamente por mi inteligencia.

No me pareció que con aquella frase Alberto buscara en mí alguna clase de compasión. Aquello se lo decía a él mismo.

—Tengo cuarenta y cinco años —continuó—. Como ves, todavía vivo en casa de mi padre. Mi única hazaña ha sido querer a Piedad. Tendría que haberme conformado con eso, supongo. Pero ni siquiera en eso fui constante.

Entonces Alberto se paró, levantó sus ojos del suelo y volvió a mirarme.

—Las cosas empezaron a ir mal entre nosotros —prosiguió—, y Piedad experimentó un cambio feroz. Fue ahí donde intervino su hermana. De uno u otro modo, siempre había estado detrás, pero a partir de la enfermedad de Piedad su presencia fue total. Ya no era Piedad la que pensaba ni la que hablaba. Piedad degeneró hasta resultar irreconocible. No sé qué es peor, si la locura o la muerte. La dejé en manos de su familia y desaparecí...

Alberto se quedó en suspenso unos segundos.

—Yo no podía hacer nada... —dijo, como buscando una aprobación—, su hermana la internó en un psiquiátrico. Hace diez años de esto. Hice mi vida todo este tiempo, intenté olvidarme, pero Lucía no se olvidaba de mí. Cuando te conocí, cuando tú llegaste a Manoteras, empecé a recibir amenazas. —Alberto se recostó en la butaca, y volví a fijarme en los botones de su americana a estrenar, nuevos y brillantes—. No podía contarle a nadie lo que me estaba pasando, ni yo mismo me lo creía. Por eso me fui de la casa de Belén.

Su rostro palideció y, al retraerse, sus ojeras se hicieron más evidentes. No sabía si lo que me contaba era toda la verdad, pero era parte de la verdad. Tenía la sensación de que Alberto no era un impostor, y de que, si detrás de su imagen abatida ocultaba algo, era algo que también se ocultaba a sí mismo.

—Un día me encontré con Stoneman en la escalera de la casa de Manoteras —prosiguió—; me entregó un dinero y me dijo que desapareciera. «No me gusta hacer trabajos sucios. O lo coges y desapareces, o te mato.»

Recordé el día en que, en el mismo, lugar, Stoneman vino a entregarme el regalo de Isaac. Pero no dije nada y seguí escuchándolo. Alberto continuó:

—«Si no te acercas a Piedad, tendrás otro tanto», me aseguró Stoneman. Y se fue. Esta última advertencia era innecesaria. Habían pasado diez años, pero no me costó imaginar que aquel tipo venía de parte de Lucía.

En ese momento Alberto se calló. Vi que se levantaba de la butaca y me miraba de nuevo.

—Oye... —dijo, dirigiéndose a mí como si hasta entonces sus palabras hubieran sido dichas para un auditorio diferente, un auditorio espectral que se hubiera filtrado por las paredes de la sala—, apenas nos conocemos, pero te aseguro que no soy un cobarde. Puedo ser imbécil, pero no soy un cobarde. —Y volvió a tomar asiento en la butaca para seguir hablándome de su encuentro con Stoneman—. Vi cómo desaparecía aquel tipo y me quedé sentado en un escalón del portal. Aquel dinero compraba mi desaparición, y no me costó entender que, además, se me perdonaba la vida, y que las órdenes de Lucía eran otras, que yo tenía a esas horas que estar muerto.

Recordé el día en que visité a Piedad en el sótano de Chamberí. Recordé la confesión que me había hecho.

Y luego lo que había oído en casa de Lucía. De nuevo esperé a que hablara él.

—Te parecerá increíble, ¿no? Te parecerá increíble que quisieran matarme.

Le miré y no respondí.

—A mí también me lo parece —dijo—, pero las cosas empiezas a creértelas cuando te pasan. No vale de nada que le pasen a otro. Lo que no pasa por ti, no pasa. Y a veces ni eso —dijo, y se rió. En todo el tiempo que duraba nuestro encuentro era la primera vez que mostraba su sonrisa. Y continuó—: Me quedé allí temblando en la escalera. Sabía que aquello no era una broma, pero yo no soy un cobarde. No me escondí, África —Alberto me miró al mencionarme y, por un momento, tuve la sensación de que el uso de mi nombre nos aproximaba demasiado—, no me escondí, y fui en busca de Piedad —continuó—. Pude localizarla gracias a unos amigos, en la calle Españoleto. Piedad no pareció muy sorprendida de verme. Me recibió casi como si me estuviera esperando. Cuando entré en aquella especie de sótano me pareció que aquello era una encerrona, que alguien había corrido más que yo. Te aseguro que no me daba miedo lo que pudiera pasar. Sin embargo me hacía temblar la idea de que jugaran de esa manera conmigo. Es curioso. Tenía miedo de no poder enfrentarme a todo aquello, de no poder rebelarme contra la repugnante prepotencia del entorno de Piedad, de que los pasos que había dado hasta allí ni siquiera fueran míos, que no se hubieran escapado a la vigilancia de Lucía o de sus matones, qué sé yo. Tenía miedo de mi insignificancia, ¡tenía miedo al ridículo! El lugar no podía ser más lúgubre. Piedad nunca vivió así, siempre ha tenido lo que ha querido. Cuando me abrió la puerta casi no la reconocí. Su belleza se ha extinguido por completo. Sólo conserva el brillo de los ojos. Los últimos diez años han arrasado de su cara toda la frescura, toda la inocencia. Ahora, sus rasgos y sus arrugas son los de una persona trastornada. Cuando alguien se vuelve loco es como si se muriera. Te das cuenta de que hablas a un desconocido, y que lo que dices lo escucha otra persona. Ella me recibió como si no hubieran pasado esos diez años, con la normalidad de nuestra vida anterior, como si me hubiera estado esperando cada día a la misma hora para comer. «Has tardado un poco», me dijo con un cariñoso reproche. ¡Y habían pasado diez años, África, diez años sin vernos! Quería contarle lo que había sucedido durante aquel tiempo. A pesar de la impresión que me produjo su deterioro y el lugar en el que se encontraba, me sentía contento de verla. Tenía ganas de hablar con ella, pero ella fue la que más habló: «Yo, en cambio, he recuperado el tiempo», dijo, desmintiendo lo que su cara decía con una jovialidad a deshora que hacía más penoso nuestro encuentro. «Sabía que vendrías. Ha estado aquí una persona...»

Cuando Alberto llegó a este punto de su encuentro con Piedad mi corazón empezó a golpear fuertemente. Alberto se quedó callado, mirándome con una tristeza y un desvalimiento atroz, como liberado de todas las preocupaciones y habitado sólo por la desolación.

—Entonces, Piedad me habló de ti —continuó—. Al principio no la entendía. Hablaba en unos términos que me costaba entender. Su cara resplandecía, como si el verme fuera más una constatación que una sorpresa. Me dijo que me esperaba, que algo maravilloso le había ocurrido aquellos días, que había conocido a alguien, alguien a quien yo buscaba, que no tenía que darle ninguna explicación, que lo podía comprender.

Alberto me miraba con perplejidad. Y continuó:

—En seguida me di cuenta de que Piedad era otra persona, que no podíamos hablar de nada. Ella sólo hablaba de ti. «He conocido a África», me dijo. «Ha venido a verme.

Ha estado aquí. Ella me ha revelado lo que durante tanto tiempo ignoré. Ella me ha devuelto de un golpe todos estos años. No te engañes, no es a mí a quien buscas. Aunque nos resistamos a creerlo, el tiempo no pasa en balde. Tienes que intentarlo, créeme. Todo lo que yo no he tenido de ti, todo lo que no te he dado, ahora vuelve. Ahora yo soy ella.»

Aquello no me sorprendía. Yo ya sabía qué extrañas conexiones disparaba mi persona en la mente de Piedad. Pero Alberto parecía cada vez más derrumbado.

—Le dijiste que me conocías —me adelanté.

—Supongo que tenía que haberme callado —dijo—. Yo a ti te he visto sólo un par de veces. Es verdad que te conté algo de mi vida pasada con Piedad. Pero nunca pensé que fueras a encontrártela, ni siquiera yo pensaba volver a verla. Todo aquello me impresionó. Yo había ido allí a hablar con ella y ella no hacía más que hablarme de ti. Me resistía a creer que estuviera tan fuera de sí. No quería ocultarle nada. Claro que le dije que te conocía. Te aseguro que no quise hacerte daño.

Aquella frase me espantó, y me defendí como pude.

—¿Y por qué ibas a hacerme daño? Piedad es una persona que sólo puede hacerse daño a sí misma.

—No sé —Alberto dudó, y luego prosiguió—, la conozco bien. Tenía que haberme callado. Cuando le dije que te conocía, su rostro se transformó, como si de pronto hubiera encontrado la pieza que le faltaba para completar el puzzle que había estado construyendo durante diez años. «¿Lo ves?», dijo, «no me he equivocado. Ella soy yo».

—Está loca —dije—. No le pasa otra cosa. Esa mujer está loca y a mí me ha tocado la inmensa suerte de tropezarme con ella.

Alberto se molestó.

—No te rías de Piedad —me pidió—. A los locos también se les puede querer. Me di cuenta de que no podía hacerle entender. Para ella todo estaba muy claro. «Por eso estoy aquí», me dijo, «por eso mi hermana me esconde en este sitio, porque no puedo existir. Ahora, África ocupa mi lugar. Tenemos que colaborar todos. No tienes que venir a verme. Tienes que olvidarte de mí».

Todo aquello no era nuevo para mí. No hacía ni medio día que Piedad se había presentado en mi casa para asegurarse de que su fabulación estaba en marcha. Alberto continuó contándome su reencuentro con Piedad:

—No quise seguir escuchándola. Intenté acercarme a ella, abrazarla. Pero cuando lo hice me rechazó, como si el contacto de mi mano le hiciera daño. Como un pobre animal. «No me toques», me dijo de un modo crispado, y su tono de voz se agravó: «Eso no es lo que tienes que hacer.»

En ese momento, la voz de Alberto se elevó:

—Lo que tengo que hacer lo sé yo —continuó—. El vacío de la pena sólo lo puede llenar la rabia. Me fui de allí furioso, dispuesto a encontrarme con la hermana de Piedad. No podía quedarme así. Piedad se pudría en aquel sótano y su hermana lo permitía. Yo también empecé a ver más cosas de las que antes no veía. Imaginé a Piedad sepultada en aquel agujero durante diez años. Imaginé tantas cosas... Fui corriendo a la casa de Lucía dispuesto a todo, dispuesto a decirle que había estado con su hermana, que ella no iba a impedirme verla. Qué ridículos resultamos cuando intentamos ser quien no somos. Después de diez años ahora yo intentaba salvar a Piedad. ¿De qué? ¿De ella misma? Me costó entender que, en el fondo, era como su hermana. Ni cuando estaba cuerda, ni ahora que estaba loca, a Piedad no le importaba otra cosa que ella misma. Antes y ahora, yo sólo era una parte de su rompecabezas, y si yo faltaba su dolor no era por mí. ¿Acaso uno se entristece por la ficha perdida? Más bien uno se lamenta del hueco que deja. Piedad no me preguntó por mí. Piedad no se interesó por lo que había sido de mí durante aquellos años. Cuando vi a su hermana me di cuenta de que todo era absurdo, de que yo no tenía nada que hacer. Allí plantado, frente a ella, me quedé sin palabras. ¡Resultaba tan ridícula mi presencia, tan inútil mi provocación! «¿A qué vienes?», me dijo. «¿Por más dinero?» Si hubiera tenido suficiente valor le hubiera dicho: «No, vengo a ser humillado.» Pero mi respuesta fue otra. El desprecio que había en sus palabras sólo podía ser correspondido por un desprecio mayor. Yo quise a Piedad. A Lucía nunca la han querido ni ella ha querido nunca a nadie. ¿O crees acaso que su relación con Isaac es algo verdadero? En este mundo lo único que le importa a Lucía es su hermana, y ella misma. Desde el principio la protegió de mí con uñas y dientes, hasta destrozarme, hasta destrozarla. Ahora estaba dispuesta a usar un matón si hacía falta. Yo no era ningún obstáculo. Yo no significaba nada. Yo había puesto mi amor. Yo había querido a Piedad. Quise retirar lo que era mío. Quise hacer daño. «Claro», dije, «quiero más. Yo no quiero a tu hermana para nada».

Alberto levantó sus ojos y me miró.

—No me importa lo que pienses, África. Tú sabes poco de mi vida. No me quiero justificar. Te cuento lo que pasó. Esto fue hace dos días —dijo, y prosiguió—: No me quedé allí esperando una respuesta. Me largué. Si lo que quería era comprarme, iba a ser ella la que tendría que buscarme. Nunca he tenido en mi vida ni la necesidad ni la sensación de dominio. Pero esa sensación de dominio es agradable, tengo que reconocerlo. Ayer Stoneman vino a verme otra vez. Un personaje curioso. Fue él el que me dijo que tú tenías el resto del dinero que me debían.

Alberto hizo un alto.

—Es verdad —dije—. Isaac me dio el dinero, pero yo no tengo nada que ver ni con Piedad ni con su hermana. Lo cogí porque Isaac es mi amigo. Me ha apoyado desde que llegué.

Y entonces extraje mi libro recién impreso.

Alberto me interrumpió. No miró el libro. Creo que ni siquiera me escuchaba.

—Es que no me importa el dinero, ¿entiendes, África? Yo no creo en la magnanimidad de tu amigo Isaac —dijo—. Si te dio ese dinero fue por algo. Lo has gastado o lo has devuelto. No me importa lo que hayas hecho con él. —Y continuó contándome el segundo encuentro con Stoneman—: Cuando el matón se marchó de mi casa fui a ver a Piedad de nuevo. Ella fue la que me llevó hasta ti.

—Bueno —dije—. Ahora ya lo sabes todo. Recibí ese dinero y lo acabo de entregar. A Piedad la encontré en una fiesta, y espero que algún día se canse de seguirme. No hay nada más. Salvo el tiempo que me cueste olvidarme de todo esto.

Alberto me miró. Su semblante cambió ligeramente.

—No sé si lo sé todo —me dijo—. Si no tienes algo que ver con todo esto, como tú dices. Si no fuiste tú la que le dijiste a Lucía dónde vivía yo. Si no te quedaste ese dinero sabiéndolo. Si no estás aquí para confundirme más. Si no te vas a ir de aquí corriendo a contarle a Isaac o a Lucía lo que has oído. Yo tampoco sé hasta dónde llega tu inocencia. Es mejor no ser inocente. La inocencia es de las cosas más peligrosas que conozco. Yo tampoco sé si temerte, o temer por ti. Desde que te vi en la casa de Belén tuve la sensación de que podía fiarme de ti. Quizás por eso te conté lo de Piedad. Para ti es muy fácil salir de todo esto, de esta barbaridad de la que hablas. Yo no puedo. Lo siento. Quería que supieras mi parte... y que la sepan ellos. No me voy a quedar quieto —dijo, rebajando el volumen de su voz—, yo no me voy a olvidar. Díselo. Que lo sepan. Aquí estoy. Perdonarle la vida a una persona puede salir mucho más caro que matarle.

Alberto se quedó mirándome. Me parecía increíble aquella desproporción. Que Isaac pudiera meterme en aquel lío. Que Lucía intentara liquidar a Alberto. Que él se humillara detrás de aquel dinero. Y que Piedad me hubiera elegido para sustituirla en la función.

—No creo que pueda ayudarte —dije—. Me parece que no los volveré a ver en mi vida. Ni a ellos ni a ti.

Alberto no tuvo ocasión de responderme. En ese momento sonó el timbre de la puerta. Hasta entonces pensé que habíamos estado solos, pero un hombre de unos setenta años, vestido con zapatillas y batín, apareció en la sala y se adelantó a abrir. Tuvo que reparar en mi presencia, porque me miró, pero no dijo nada, como si las caras nuevas no fueran ninguna novedad para él. Por la diligencia con que se dirigió a la puerta supuse que esperaban a alguien para cenar, y me levanté rápidamente, dispuesta a aprovechar ese momento para irme. Alberto no hizo ninguna señal de retenerme.

—Me voy —dije.

En el intervalo que transcurrió entre mi despedida y la irrupción en la sala de los otros hermanos de Alberto pensé un montón de cosas. Pensé que el padre de Alberto podía habernos estado escuchando. Pensé que la situación de Alberto en aquella casa era comprometida. Pensé que necesitaba el dinero mucho más de lo que él confesaba. Cuando la sala se llenó con la presencia de sus hermanos me di cuenta de que no quería irme de allí, que dejar a Alberto en aquel momento era renunciar a una parte de la historia que me había ganado a pulso saber y que Alberto callaba. Jerónimo, el mayor de los hermanos, insistió para que me quedara a cenar.

—Cómo vas a irte si eres nuestra invitada —dijo, con su tonta alegría.

Ni Rafael ni su padre mostraron el más mínimo empeño en que yo me quedara. Alberto se levantó de la butaca para presentarme, como si su padre fuera un poco sordo o como si esa información, a pesar de resultarle indiferente al padre, cumpliera la función benevolente de mantenerle al tanto de lo que ocurría en su casa. Aunque no era un trato del todo correspondido, Alberto se mostraba delicado con él. Fue un segundo, pero en ese segundo vi una faceta de Alberto que me conmovió.

—Ah, sí, la poeta —dijo el anciano, asintiendo desde su lejanía.

Que Alberto o alguno de sus hermanos le hubieran hablado a su padre de mí me inquietó. Pero Alberto no demoró el momento de liberarme de aquella presión familiar. Noté que echaba su mano levemente sobre mi hombro y que me conducía hasta la puerta.

—África se tiene que ir. Acaba de publicar su libro. Tiene muchas cosas que hacer.

En ese momento me resistí a ser conducida suavemente por aquella mano. Había llegado hasta allí guiada por mis propios pasos y me iría en el momento que pensara que era el mejor. Tuve la sensación, además, de que Alberto prefería no mezclarme con su familia, como si me preservara de algo, o como si se preservara a sí mismo de alguna actuación que era preferible que yo no viera. Fui la primera sorprendida cuando de mi boca salieron las siguientes palabras:

—No tengo tantas cosas que hacer —dije, bromeando—, el oficio de poeta no es tan cansado.

Jerónimo se rió. Pero vi que Alberto componía una cara más allá de la perplejidad. Su hermano mayor se encargó de acomodarme de nuevo en el grupo de butacas de la sala y salió hacia la cocina en busca de un aperitivo. Ni su padre ni Rafael estaban presentes. Alberto y yo nos quedamos en silencio. Noté en su mirada una súplica. Por primera vez le noté apurado. Como si temiera que se produjera algún espectáculo indigno por parte de su familia, algo que yo no debía presenciar. Esa aprensión se hizo patente en Alberto, pero no hubo ocasión para que nada extraño ocurriera. Jerónimo vino con una bandeja de licores y no dejó de hablar. Se interesó por mí pero sobre todo habló de él, de su trabajo, que le mantenía tan ocupado que no podía ni leer. En aquella casa a todos les gustaba mucho la literatura, sobre todo a Jerónimo. Pero sus palabras no denotaban precisamente una gran familiaridad con los libros. En dos ocasiones, al hablar de novelas recientes, se equivocó de título y de autor, pero su cháchara proseguía animadamente, contento de tener un espectador nuevo que pudiera verse agasajado por sus dotes de relaciones públicas. Ése era su trabajo. No le pregunté dónde lo ejercía. Aunque su dedicación era total, estaba muy contento con esta responsabilidad. Supuse que su ignorancia no era un problema para su *cargo*, como él lo llamaba. Jerónimo resultaba una persona con suficientes recursos como para esquivar cuestiones de importancia menor. Fue él el que lideró toda la cena, y lo consideré capaz de tirar adelante los encuentros más complicados. Era divertido, brillante y educado, y, finalmente, cuando la cena llegó a su fin, tuve la sensación de que podía irme tranquila de allí. Alberto parecía sentirse muy cómodo, su nerviosismo del principio se había relajado por completo y ahora se mostraba contento de que yo estuviera allí. Se reía, bromeaba. Me pareció que en el fondo me miraba con agradecimiento. Ni Alberto estaba tan solo, en caso de que corriera algún riesgo, ni le hacía tanta falta el dinero. Su hermano mayor parecía ocuparse de todo. Habíamos bebido el vino más caro del mundo. Una asistenta con un uniforme impecable nos había servido platos suculentos. El salón donde cenábamos no estaba falto de cierto lujo. Y cuando me le-

NUEVE

Lo que pasó entre Alberto y yo duró muy poco. Fue más largo lo que vino después. La noche que me quedé en su casa yo no intuí nada de eso. No pensé en el día siguiente, ni en el otro. No imaginé en su mirada ningún tesoro, sino todos los desastres posibles, y de ninguno yo lo pretendía salvar. Era evidente que aquellos cuadros y aquel lujo superpuesto a la menesterosidad de la vivienda procedían del bolsillo de Lucía, o del de Belén. Pero su impostura no me escandalizaba. De alguna manera, todos somos impostores. Todos buscamos una explicación ficticia a nuestras vidas. Era su verdad, la verdad en la que él apoyaba su existencia, lo que retó mi curiosidad. Que hubiera querido a Piedad o no, no despertaba mi interés. Que hubiera vivido de ella, y pretendiera seguir haciéndolo a costa de su hermana, tampoco era algo que iba a juzgar. Los hechos no tienen en sí la menor entidad moral. Son las razones, las justificaciones, las que nos hacen culpables o inocentes. Y las que conducían a Alberto por aquella lucidez de vampiro eran las mismas que movían a Piedad en su locura de víctima. Al parecer, el amor les había dejado una deuda pendiente y ambos seguían todavía buscando una manera de cobrársela a alguien. Todo aquello me daba la seguridad del observador y satisfacía de un modo increíble mi curiosidad. Y luego, cuando acabó la cena y me abrazó, yo no tomé la decisión de quedarme. Él me lo pidió y, simplemente, me quedé. Ya no tenía el dinero que me pedía. Pero quizás todavía tenía que sacarme algo de encima. Creo que quedarme con Alberto fue un modo de despedida, una forma de desprenderme definitivamente de todo aquello.

De todos modos, durante la cena, su imagen se me fue revelando cada vez más misteriosa. Se mantenía callado, o intervenía sólo para corroborar alguna idea de su hermano mayor, o para atender a su padre anciano. Al principio se mostró tímido, pero luego parecía contento de que yo estuviera allí, como si mi presencia lo eximiera de otras aportaciones, y me dejaba hablar, y notaba en su mirada cierto orgullo, como si yo fuera lo único en aquel momento que le salvara de la consideración de sus familiares, o de la suya propia.

En el amor siempre hay una sensación de vértigo, de perder pie de repente. Cuando decidí quedarme, cuando me vi frente a él, mirando aquellos cuadros, no sentí ningún temblor. Al contrario, notaba firmemente la tierra bajo mis pies. Me guiaba el deseo de desvestirme, de entregar mi cuerpo mientras mi alma recuperaba una calma y una integridad que había perdido en los últimos días. Mi cuerpo yacía junto al suyo, pero mi mente no se perdía. Más que nunca, estaba atenta a lo que hacía, a lo que decía, reordenando la información que me daba su persona. El cuerpo de Alberto era cálido, pacífico. Procedía sin prisas, con la misma delicadeza que había tenido ocasión de observar durante la cena hacia sus hermanos. No era un ser desesperado, como se me había manifestado antes. Su actitud no era la de un amante ocasional, sino que más bien parecía, y esto me hacía sonreír, que nuestros cuerpos se conocieran desde hacía muchos años. Esa calma no le acompañó después, por la mañana. Cuando me desperté y lo vi sentado junto a la cama, ya vestido, Alberto volvía a mostrarse preocupado. No hubo entre nosotros ningún signo de cariño.

—Es mejor que te vayas a tu casa —me dijo—. Me preocupa que estés aquí perdiendo el tiempo.

En ese momento me acordé de mi libro. Alberto lo tenía en sus manos. Me vestí. Estuve tentada de darle las gracias por mostrarse tan atento a mis obligaciones, pero su preocupación parecía sincera y no quise ofenderle. Cogí mis cosas y me despedí. En la sala, Rafael y su padre desayunaban. El padre me invitó a sentarme. Insistió con una rara vehemencia, me excusé amablemente y Alberto me acompañó hasta la escalera.

—¿Qué piensas hacer? —le pregunté antes de despedirme.

—¿Y tú? —fue su respuesta—. ¿Tú qué piensas hacer?

No contesté. Me fui de allí segura, tranquila. Tuve la sensación de que entre nosotros se había producido un pacto, que yo sabría de él en tanto en cuanto él supiera de mí. Él me había hablado y yo le había escuchado. Parecía darme a entender que si quería saber algo más, él estaría siempre allí, pero lo que yo hiciera o dijera al respecto no era algo que le importara. De otro modo, él también se mostraba por encima de todo.

Pues bien, me fui a mi casa, sí. Tenía cosas que hacer. Para empezar, buscar rápidamente el modo de pagar mi alquiler. En el paseo de Delicias cogí el autobús hacia la Castellana. Cuando pasé a la altura de Correos, el recuerdo del dinero me hacía reír. Ahora no tenía un duro, pero tenía una historia que contar. Todo lo que dejaba atrás le hubiera bastado a cualquier novelista para montar una novela. Desde luego, los ingredientes no faltaban. Estaba Isaac el Bueno, estaba Stoneman el Oscuro, estaba Piedad la víctima, estaba Lucía la Mala, y Alberto, ¿quién era Alberto? Alberto se había hecho una vida a costa de todo aquello, y así pretendía seguir. A mí me había tocado encontrármelos a todos. Nadie a quien se lo contara se lo creería. Que tuve en mi poder un dinero destinado a liquidar a un tipo, que lo devolví, y que acabé acostándome con él. Isaac, Piedad, Lucía, Stoneman, Belén, todos se quedaban atrás conforme el bus avanzaba, y a todos, cuando me bajé, di por amnistiados. Isaac me había querido ayudar, Piedad quería ayudar a Alberto, Lucía pretendía ayudar a su hermana, y Alberto era quizás la persona más triste que yo había conocido, un hombre vencido que no se hacía ilusiones pero que aún tenía la necesidad de ser escuchado. Quizás, de todos ellos, era el menos falso. El único que no pretendía salvar a nadie, ni siquiera a sí mismo. Allí se quedaban, a mis espaldas. Madrid me había hecho un buen regalo nada más llegar. Pensaba que con aquello ya podía vivir de rentas por una eternidad, pero que ahora tocaba hacer mi propia fortuna y seguir insistiendo en mi pobre y desatendida historia de La Tilleira.

Llegué a Zurbano con ganas de ponerme al teléfono, de seguir haciendo mi vida; tenía que haber asuntos pendientes para mí. Después de pasar la noche en la casa de Delicias, mi sensación era la de haberme limpiado. Recordaba las palabras de Piedad, las que yo misma le había inspirado. «El amor es algo sucio», decía. Pero, visto de otro modo, el amor también podía ser una cuestión de limpieza, una obra de arte, como los poemas. Todo dependía de lo que uno pusiera en ello. Pensaba en esas cosas, respuestas posibles para una entrevista, los poemas, como el amor, sólo valen la pena cuando se hacen con la conciencia fría, cuando no se entrega nada ni se pide nada... jamás había notado esa sensación de libertad después de escribir un poema. Jamás mi mente se había sentido tan ligera.

Es difícil sacarse de encima las historias y darles un final. Supongo que eso sólo pasa en las novelas. Por eso las necesitamos. Buscamos convertir en pasado lo que sigue siendo presente, un presente eterno. Y, seguramente, a nadie le coge la vida tan de sorpresa como a quien, desde el principio, se niega a ella. Me quedé pensando que todo aquello tendría un final, desde luego, pero eran sus protagonistas los que tendrían que ponerlo. Quizás Alberto corría peligro, quizás su crimen era mayor, quizás las amenazas de Lucía eran ciertas y yo era una ingenua, pero yo ya estaba fuera.

O eso imaginaba. Cuando creemos que hemos terminado con algo sólo estamos empezando. Cuando nuestra cabeza más lúcida se muestra, sólo está haciendo hueco para el próximo nubarrón. La mía se nubló nada más llegar a la casa de Zurbano. Había un coche aparcado junto a la acera. Un coche que no reconocí como habitual. Inmediatamente lo identifiqué como el Jaguar negro de Lucía. Busqué a Clemente dentro. Delante del ascensor había muebles esperando para ser trasladados. No me atreví a subir a mi casa. Clemente apareció por la puerta del almacén con el mono puesto y una llave inglesa en la mano. Me pareció que su actitud con respecto a mí había cambiado. Es verdad que Clemente no siempre estaba de buen humor. Algunos días, su carácter abierto y sereno se estropeaba, y se mostraba parco, y un tanto inaccesible. En aquella ocasión me pareció que me evitaba más de la cuenta.

—¿Mucho trabajo? —pregunté.

—Sí —contestó Clemente, con un tono incluso desagradable, mientras se disponía a desarmar un sofá para que entrara en el ascensor.

No quería mirar, pero no pude dejar de fijarme en aquellos muebles. Algunos estaban recién traídos de la mueblería, todavía sin desembalar, pero otros, como el sofá, me resultaban conocidos. Los muebles, como las personas, tienen también una personalidad oculta. Hasta el amigo más cercano nos parece un desconocido cuando lo encontramos en un lugar que no esperábamos, y nos cuesta desandar el camino que él ha hecho para llegar hasta ahí, para encontrarse ahora frente a nosotros, que le hacíamos en otra parte, en su sitio. Esta desubicación nos desconcierta y nos molesta, porque hay algo en él que ha sido trasladado sin nuestro permiso, una imagen nuestra, una cierta seguridad que ahora ya no depende totalmente de nosotros. Lo miramos con reservas, observamos su alegría en una fiesta, o su desenvoltura en el pago de una cuenta en un restaurante, ajenos a nuestra presencia, y nos desazona su existencia, su libertad. Yo había visto aquellos muebles en alguna parte. No me costó ubicarlos en la casa de Lucía. Me pareció que, además, contra la pared se apoyaban varios tubos de telas como los que había visto en la casa de Piedad. Clemente procedía a desarmar el sofá, indiferente a mis preguntas.

—¿Quién se muda? —pregunté, sin hacer caso de lo que veía.

Clemente, sin dejar de afanarse con la llave inglesa, me miró. Y entonces usó conmigo un trato que sólo habíamos tenido el primer día que llegué a Zurbano.

—Podía usted haberme avisado con tiempo de que se iba —me contestó—. Todo hubiera sido mucho más fácil. Ha quedado un piso vacío, su amiga se instalará por ahora en él. Pero es el suyo el que le interesa.

Al oír sus palabras, mi mente empezó a trabajar en una dirección insospechada. Por mi cabeza pasaron como una ráfaga los dos días anteriores. Llevaba dos noches sin dormir allí. Sólo había pasado por la casa para encontrarme con Piedad. Era verdad que aquel mes todavía estaba sin pagar, pero yo no había hablado con nadie de dejar el piso. Clemente era el que se encargaba de hacerle llegar a la dueña cada mensualidad. Intenté improvisar algo, pero el portero no parecía muy dispuesto a pronunciar desagravios. Él era el agraviado.

—Entiéndase con su amiga —continuó, hablándome como si no me conociera de nada—, la dueña me ha llamado esta mañana para decirme que le alquile su piso en cuanto quede vacío.

Tardé en reaccionar. Me defendí. Le expliqué que en ningún momento pensaba dejar la casa, y que era conmigo con quien la dueña tenía que hablar. Pero Clemente siguió con sus cosas. Prácticamente, ni me prestó atención.

—Yo no voy a trabajar más por hoy —aclaró mirándose el reloj—, si decide lo que sea, mañana me lo dice.

—Yo no voy a dejar mi casa, ¿quien le ha dicho eso? —insistí.

—No se preocupe —Clemente ya subía con su carga en el ascensor—, si se va a quedar, mañana me paga y ya está. Ya le digo que su amiga se instala en el que hay vacío. Hace tiempo que me lo había pedido.

Puede parecer increíble, pero no hice nada. No subí a mi casa. No vi a Piedad ni a Lucía. Sentí que el miedo, como una boa, se apoderaba de mí. Piedad ocupaba ahora una casa vecina a la mía. Me aterró la idea de tenerla cerca, y sólo tuve prisa de marcharme de allí. Miré por última vez al portero. Me miró. Cuando me quedé sola delante del mostrador aún estuve tentada de dejarle una nota muy clara para conservar el piso, pero dejé un billete de propina y me fui.

Empecé a caminar sin rumbo, calle abajo. Era muy temprano para casi todo. Creo que empecé a pensar en cosas absurdas para evitar el miedo. Pensaba, por ejemplo, que si aquello me hubiera pasado de noche, sería mejor. Con el poco dinero que tenía podía meterme en cualquier apartahotel. Nadie sospecharía de mí a oscuras. Nadie vigilaría mis movimientos. Sin embargo, a aquellas horas de la mañana todavía tenía todo el día por delante para que eso sucediera. Necesitaba refugiarme en algún lugar, pero no quería meterme entre cuatro paredes. Me espantaba la idea de quedarme sola y empezar a darle vueltas a la idea de compartir vecindad con aquella mujer. Caminé, caminé sin parar, evitando los grupos de estudiantes del colegio americano que venían en dirección contraria, mezclándome entre los funcionarios de la Audiencia Nacional, y bajé hacia la Castellana procurando el refugio de las avenidas atestadas de coches y las aceras desbordadas de gente diversa que se dirigía con paso firme a sus diversos trabajos. Pasé por delante de una cafetería. Desde allí llamé por teléfono. Pero no llamé a mi casa, ni a la redacción. Mis dedos marcaron automáticamente el número de Alberto. Me contestó con prontitud.

—Alberto... —exclamé, el ruido de la gente no me dejaba oír.

—Sí, qué pasa —escuché.

—Soy África... —susurré, no me atrevía a levantar la voz—, me ha pasado algo...

En ese momento, alguien entró y el ruido de los coches no me dejó oír una de sus frases, a la que sucedió un enérgico «Vente». Me quedé callada y volví a oírle: «Vente.»

Colgué.

Uno no sabe por qué hace ciertas cosas. Cuando llegué a la cafetería, antes de marcar el número de teléfono, me acordé de aquella frase que Isaac me decía cada vez que hablábamos. «Si necesitas mi ayuda, ya sabes dónde estoy.» Aquella frase siempre me hacía sonreír. Me acordé también de mis padres. «Haz lo que tengas que hacer, ya sabes que nos tienes.» Me acordé incluso de mi compañera de piso de Manoteras, y de Eleuterio. Pensé también, al coger el teléfono, en mi redactora jefe. Había quedado en pasar por el periódico y no me había presentado. Seguramente a aquellas horas estaba llamándome, si aún no se había encargado Clemente de cambiar la línea. Sin embargo, al único que llamé fue a Alberto. Nada mas oír su voz por el teléfono volvió a mí una cierta serenidad. Cogí un taxi y mis palabras fueron las de alguien que ha madrugado y piensa llegar ese día a buena hora al trabajo. Tener un sitio a donde ir da una gran tranquilidad, aunque ese sitio sea el infierno.

Casi inmediatamente después del primer momento de pánico, creo que ya cuando me despedía de Clemente y le dejaba una propina, en medio de mi desconcierto ante el hecho de que aquella mujer pensara instalarse en mi casa, lo que cualquier persona hubiera considerado un atropello fácil de subsanar, y en medio de mi angustia por el hecho mismo de quedarme de pronto sin mis cosas, porque desde luego no pensaba ir a buscarlas, empezó a filtrarse una extraña complacencia, como si Piedad me hubiera liberado sin pretenderlo de un pesado fardo que ni yo sabía que arrastraba. Como si me hubiera hecho un favor. Quedarme de pronto sin nada y en la calle me pareció bien empleado. Y la dirección en la que había pensado hasta entonces empezó a curvarse hasta dar un giro completo, y empecé a pensar en Piedad no como una loca sino como una malvada, y en mí como una imbécil que no lo quería ver. No sé qué era mayor, si mi ira o mi impotencia. Acaso ambas cosas sean la misma. Las dos se traducen en un deseo irracional de venganza. Pero yo no llegué tan lejos. Yo sólo temblaba.

Conforme el taxi iba acercándose al paseo de Delicias, esta sensación se apoderó totalmente de mí. Salí de Zurbano sin saber qué hacer ni por dónde empezar, y llegué a Delicias deseando contárselo a Alberto, recreándome en lo extraño de mi situación y hasta disfrutando de que todo aquello ocurriera, y de que Alberto estuviera al otro lado de las cosas para poder saltar sobre ellas. Sentía que entre él y yo se había formado un puente, notaba mi espíritu ligero de toda prevención, y subí la escalera corriendo, casi jadeando, como quien corre a comunicar una gran noticia. Cuando vi a Alberto frente a mí tuve que tomar aliento para poder hablar.

—¿Qué ha pasado? —me preguntó.

Alberto me miraba, pero no parecía intrigado. Su mirada era quieta y me pareció fría, como si el hecho de recibirme y escucharme formara parte de una especie de ritual en el que su alma no intervenía. Como si su alma estuviera en otra parte mientras él actuaba con buena educación, ahorrándose toda la hipocresía sobrante. Le conté que Piedad se había instalado en mi casa. No hacía falta que Alberto me recordara lo que era obvio para apercibirme de lo absurdo de la situación.

—¿Pero qué dices? —se sorprendió—. Es tu casa, ¿no? Tú tienes tu casa.

No contesté. Me costó unos segundos poder hablar. No podía decirle que lo único que había hecho era venir corriendo a contárselo. Alberto me invitó a pasar. Me hizo sentar en una de las butacas de la sala. Sus palabras no eran precisamente tranquilizantes, pero su frialdad, de alguna manera, me calmaba. Fue a la cocina y volvió con una infusión. Creo que tuve la sensación de que me despreciaba. Y sin embargo no me importó. Los juicios que estuviera haciendo sobre mí, si es que hacía alguno, si su indiferencia no era una ausencia real, me importaban menos que continuar allí. Me acompañó mientras tomé la infusión. Me miraba como si estuviera esperando el momento de que me fuera. Sin embargo no se manifestó en este sentido ni en otro. Entre los dos se mantuvo un silencio que sólo yo rompí. Nunca pronuncié la palabra miedo. El miedo es no poder mirar atrás. El miedo es no querer volverse y reconocerlo. Creo que si nos hubiéramos conocido más, que si Alberto hubiera sido mi hermana o mi madre, o Isaac, incluso, con quien había suplido de algún modo la ausencia de una confianza total, mi apuro no hubiera sido menor. Ante el miedo, todos son extraños.

—¿Me puedo quedar? —fue lo único que dije, y al decirlo tuve la esperanza de que Alberto me abriera de par en par sus brazos. Pero esto tampoco sucedió. Alberto procedió tan fríamente como hasta entonces.

—Bueno —dijo.

No dijo siquiera «no te preocupes», o «por supuesto». No utilizó ninguna de esas frases que en un momento dado sirven para asumir un huésped indeseado. Simplemente se levantó, dio un par de vueltas por la habitación, volvió a sentarse frente a mí y, en un tono muy suave, añadió:

—Quédate hasta que te tranquilices. Luego quizás puedas pensar mejor. Piedad no tiene por qué asustarte. No puedes hacer nada si ha decidido instalarse allí. No tiene tanta importancia.

Me molestó aquella manera de mantenerse al margen de algo que yo pensaba que era más de su incumbencia que de la mía.

—Piedad lo que quiere es mi casa —insistí.

—Pero tú tienes tu casa —me contestó—, tienes que volver. No puedes quedarte aquí conmigo. Yo no te puedo ayudar.

Aquellas palabras, curiosamente, no me hirieron. Me quedé callada y pensé muchas cosas. Las palabras que salieron a partir de entonces de mi boca ni yo las reconocí.

—Por eso he venido —dije.

Alberto se inquietó. Me cogió del brazo, casi me hizo daño.

—Tienes que volver a tu casa. Tus cosas están allí. No

tienes que esconderte como si fueras una delincuente. Es Piedad la que está loca, no tú. Es ella la que está mal. No tiene por qué echarte de tu casa.

—No quiero volver a mi casa —dije—. Ya no es mi casa.

Alberto pareció perder por un momento la calma. Lo noté nervioso, noté que en su mente se agolpaban las palabras, palabras que no me decía, que quizás no debía todavía oír. Finalmente, las palabras no dichas se retiraron de su mente, desistió de ésas y de otras. Desistió de todo. Se relajó y sólo preguntó:

—Entonces, ¿qué piensas hacer?

Le miré.

—¿Y tú, tú qué piensas hacer?

No hablamos más. No me contestó. No insistió en ninguna dirección.

En su cara se dibujó un gesto de disgusto que no intentó disimular. Finalmente, con un tono de voz irritado, como si mi presencia le estuviera retrasando más de la cuenta, me explicó que tenía un compromiso, que no podía quedarse conmigo, pero que sus hermanos estaban en casa por si necesitaba algo. Alberto fue hacia una de las habitaciones. Le oí hablar con su hermano. Luego volvió adonde yo estaba y se despidió.

Me quedé en la sala. Mi atención empezó a detenerse en los más pequeños detalles, y al poco tiempo de estar allí todo me resultaba familiar. Todo lo ajeno era mío y lo mío se hacía ajeno. No pensaba en mis cosas ni en el modo de recuperarlas, y en cambio me distraía imaginando lo que había detrás de cada puerta, lo que se escondía detrás de cada mueble, debajo de cada mesa. Una de aquellas habitaciones ya la conocía. Y el comedor. Estos dos cuartos daban directamente a la sala donde me encontraba. Y entre ambos se abría un pasillo estrecho a lo largo del cual se disponían otras estancias. Estuve esperando a que su hermano saliera, pero esto no sucedió. Finalmente decidí levantarme y aproximarme a la habitación de Jerónimo. De detrás de la puerta salía una música ruidosa, de rock and roll, y olía a marihuana. Me hizo sonreír la idea de que un ejecutivo cincuentón estuviera a aquellas horas de la mañana colocado. No me atreví a llamar, y en ese momento el hermano de Alberto salió. Estaba vestido como la noche anterior, con el mismo traje, ahora un poco arrugado, como si no se hubiera todavía desvestido ni hubiera dormido. Sin embargo, sus modales seguían siendo perfectos.

—Hola, África —me espetó con un gran entusiasmo—, he estado leyendo tu libro. Pasa.

Dentro de la habitación, el tufo a marihuana aún era mayor. Las paredes estaban recubiertas de discos y casetes, cómics y apenas tres o cuatro libros de iniciación al yoga. Eran los muebles, los pósters y el edredón del cuarto de un adolescente. Sin embargo, los zapatos, calcetines y corbatas, que se amontonaban en un desorden total, eran de gran calidad. Sobre todo abundaban los zapatos, desparejados por el suelo, como si hubieran sido usados para una sola ocasión y nadie se hubiera ocupado de devolverlos al armario. Por un momento pensé que Jerónimo, como Alberto, por alguna razón se había instalado recientemente allí, en lo que había sido en otro tiempo su habitación. La impresión de aquel contraste era realmente chocante, como un padre que se ve obligado a ocupar la habitación del hijo. Jerónimo no parecía preocupado por este desorden, como si, efectivamente, estuviera de paso.

—Siéntate —me invitó con sus formas ceremoniosas, ofreciéndome un lado de la cama que no estaba invadido de ropa—, acabo de pedir el desayuno.

Al momento apareció en la habitación la sirvienta joven de rostro sonriente y despejado, con su uniforme impecable. El carrito que portaba estaba lleno de pastas. Y había dos servicios junto al café. Cuando la joven me acercó una de las dos tazas para servirme me fijé más en su cara. Parecía feliz de ejercer aquel trabajo. Le supuse una edad semejante a la mía. Creo que me ruboricé cuando me acercó una taza. Imaginé que aquella proximidad de nuestras edades la colocaba en una situación engorrosa, pero ella hizo su trabajo sin perder la sonrisa.

—Gracias, Elvira —la despidió Jerónimo, y luego se volvió hacia mí—. Me gusta desayunar en la habitación, no sé por qué, es una costumbre. En realidad, si no tuviera que salir a trabajar, no me movería nunca de aquí. Me encanta comer en la cama, ¿a ti no? ¿Y qué? —me preguntó de pronto—, ¿vas a cambiarte de casa?

Aquella información difusa me sorprendió. No sabía lo que Alberto le había podido contar en tan poco tiempo.

—Estoy buscando... —dije.

Iba a improvisar alguna excusa para no dar detalles, pero Jerónimo se lanzó como un energúmeno a devorar todo cuanto alimento había en la bandeja y quedó claro que no hacía falta por mi parte ninguna explicación. Jerónimo comía como un adolescente famélico, y yo misma me lancé a un croissant y al café con leche, lo que inspiró un gesto de aprobación en mi comensal vecino, que esperó a terminar su último bocado para añadir:

—Yo sé de unos apartamentos. Si te interesa...

—Sí —contesté—. Creo que cuanto antes pueda cambiarme será mejor.

Jerónimo reaccionó a mis prisas.

—Supongo que por unos días puedes quedarte aquí. No creo que a Alberto le importe. Eres amiga suya, ¿no?

No contesté. Me quedé callada, sentada en aquella cama revuelta, hasta que Jerónimo acabó su desayuno. Entonces se levantó, miró el reloj y empezó a hacer la cama. Me levanté para facilitar su trabajo.

—Es que yo ahora duermo —dijo—. Ésta es mi hora de acostarme. Mi hermano no tardará en venir.

Salí de su habitación y me dirigí a la cocina, donde me pareció oír el murmullo del agua y los platos. Elvira, de espaldas, hacía su trabajo. Sentado a su lado, en un taburete, Rafael la miraba. Estaba en pijama. Cuando reparó en mí ni siquiera se inmutó, como si contara conmigo en aquel lugar. Elvira se volvió y se enjuagó las manos rápidamente.

—¿No ha vuelto todavía el señor Alberto? —me preguntó, y a continuación se dirigió al pasillo con un andar rápido, como si tuviera instrucciones muy precisas. La seguí. Se paró delante de un armario y cogió algo de ropa blanca—. Véngase, en un momento le preparo su habitación.

Elvira me condujo hasta el cuarto donde Alberto y yo habíamos dormido. La cama todavía estaba deshecha, tal y como la habíamos dejado por la mañana. Nuevamente sentí el rubor en mis mejillas, mientras Elvira recogía las sábanas y ponía otras nuevas. De la noche, sólo recordaba la amplitud de la cama y la calidad de las sábanas. Ahora me di cuenta de que aquella habitación era de mujer. Una habitación de matrimonio puesta por una mujer. Al lado de la cama había un mueble escritorio, más parecido a una cómoda, donde en algún momento habían reposado cremas y perfumes.

—A veces no tengo tiempo de hacer los cuartos hasta mediodía —dijo—, el señor Alberto se levanta tarde.

—Déjelo —insinué—, puedo hacerla yo.

—Oh, no se preocupe —dijo con una sonrisa—. Soy nueva. Estoy aprendiendo.

En seguida, Elvira dejó la cama limpia y estirada, con una rapidez que resultaba compatible con cierto esmero y cariño. Cuando terminó me miró. A aquellas horas, ella aún no había hecho los cuartos y yo aún no había pasado por la ducha.

—La habitación tiene baño —me indicó—, y en el armario hay ropa, por si necesita cambiarse.

—Gracias —dije—, se lo agradezco.

Pero me chocó su solicitud y la amplitud de sus competencias, sobre todo sabiendo que era nueva en la casa. Aquella libertad de movimientos no se avenía ni a su edad ni a nuestra respectiva situación en aquel hogar, a menos que el sueldo que recibía la estimulara hasta el punto de acelerar ese tramo entre los años y la experiencia que sólo a las personas muy inteligentes les es dado acortar, y que, aunque no exime de las equivocaciones, las adelanta, ganando así un tiempo muy valioso para las rectificaciones. Tengo que decir que desde que entré en aquella casa, Elvira fue un modelo a seguir para mí. Desde una distancia que no sé hasta qué punto ella sentía, yo la espiaba en sus comportamientos, la imitaba. Para muchas cosas fue la pista que seguí.

—Su hermano Alberto me ha dicho que cambie las sábanas —me aclaró.

—¿Mi hermano? Alberto no es mi hermano —sonreí.

—Se parecen —rectificó Elvira, sin detenerse siquiera en su error.

Me quedé sola en la habitación. En el armario había ropa de Alberto. Camisas y pantalones planchados y colgados con una pulcritud asombrosa. En los cajones inferiores encontré ropa interior de mujer, doblada y ordenada como si no se hubiera movido de allí en mucho tiempo. En la otra parte del colgador había vestidos de largos diferentes. No me atreví a tocarlos. Cogí un pantalón y una camisa de hombre y me metí en el baño. El agua cayó sobre mí produciéndome un efecto de descongestión. Dejé la ropa sucia ordenadamente en el bidet que había junto a la bañera y vestí aquel pantalón y aquella camisa como si fueran los de mi hermano.

Alberto volvió a mediodía. Traía pasteles y champán. Su actitud hacia mí había cambiado por completo. No se extrañó de verme todavía allí, y ni siquiera observó nada acerca de mi atuendo. Todo parecía normal.

—Tenemos que celebrar lo de tu libro —dijo—, eso es lo más importante.

No quedaba en él nada de la reticencia con que me había recibido, como si en el tiempo que transcurrió entre mi llegada a su casa y su vuelta algo le hubiera sucedido en la calle que le había hecho tomar una determinación concreta, de la que yo, al parecer, era objeto, pero en la que no había intervenido. Su alegría me contagió. Esta actitud me desvelaba una nueva faceta de él que no conocía, que no había visto en ningún momento durante el corto período de tiempo que coincidimos en la casa de Belén, y que no parecía posible en el hombre que me había encontrado en el Vip's con Piedad. Recordaba su indolencia en el sofá de Manoteras. Tenía muy presente la desconfianza que me había manifestado en nuestro último encuentro. Con respecto a la historia que me había contado, yo ya me había formado una idea de la clase de vida que llevaba. Y sin embargo, cuando llegó con los pasteles y el champán, me pareció otro hombre, un hombre inocente, libre de todo resentimiento. Nos distanciaban unos años de edad, los suficientes para delimitar claramente una diferencia insalvable, la que existe entre aquellos que han traspasado la línea de la decepción y los que todavía corren hacia ella. En el caso de Alberto había algo peor. Yo le había alcanzado en ese punto de la carrera en el que él ya se había parado. Con aquella alegría repentina, con aquella mudanza de su cara, tuve la falsa impresión de estar a su altura, pero su

191

rostro era inequívocamente el de alguien que llevaba corriendo mucho más tiempo que yo. Yo podía incluso acompañarle, o superarle, dejarle atrás, pero eso no le quitaba su ventaja. Su quedarse atrás era también una forma de ir por delante.

¿Qué esperaba de él? ¿Por qué me había ido a refugiar a su casa? Todo lo que sabía no se me iba de la cabeza y, sin embargo, allí estaba, alegrándome con su alegría, comiendo de su comida, bebiendo el champán que seguramente había comprado con el dinero que yo había devuelto a la editorial de Isaac.

Se lo pregunté por la tarde y no me lo negó. Stoneman se había encargado de entregarle la parte de dinero que le debían. Le conté lo que había oído en la casa de Lucía la noche que salí con ella e Isaac, y luego la conversación que había tenido con éste en su editorial. Ahora a él nada parecía importarle. Para Alberto también era una historia que estaba zanjada y que quedaba atrás. Salimos a pasear. Alberto no paraba de bromear sobre el asunto de la casa de Zurbano, sobre lo del dinero y mi nueva situación. Todo le daba risa y consiguió arrancarme las primeras carcajadas en mucho tiempo.

—Lo curioso es que no hubieras huido con el dinero —se reía.

Lo gracioso era estar entonces allí, riéndome con Alberto. Él había conseguido el dinero que yo había entregado y que consideraba suyo, y allí se acababa todo. No pensaba volver a ver a Piedad. No pensaba volver a molestarla. Aquella tarde sólo se preocupó de sacarme de encima el susto y de ayudarme a encontrar una casa. Fuimos a ver juntos algunos apartamentos, compramos algo de ropa y, cuando llegó la noche, cuando apagamos la luz y los dos nos quedamos solos en la habitación, noté que me cogía la mano, y entonces no era él el que se quedaba atrás, sino yo.

Era él el que corría más, como si los años que había permanecido parado le hubieran dotado de una energía redoblada, contenida, y también en eso me llevaba ventaja.

Me dormí. Me dormí antes que él. Noté su mano pegada a la mía, despierta, y poco a poco fui quedándome quieta hasta que no la noté.

DIEZ

—

Yo no sé qué hacía en aquella casa de hombres, viendo pasar las horas y ayudando a cocinar a Elvira. Así transcurrieron los días siguientes, del modo más extraño. Todo el mundo asumió mi presencia con asombrosa naturalidad. Casi diría más: con alegría. Ni siquiera Jerónimo, al que sólo veía por las noches, cuando salía de su cuarto después de pasarse el día durmiendo y oyendo música, perfectamente equipado para realizar su trabajo fantasma, calzado cada día con unos zapatos nuevos y con la cara lavada y peinado, volvió a recordarme mi situación precaria, ni a hablarme del asunto del apartamento.

Con Rafael, el hermano pequeño de Alberto, mi relación se estableció en unos términos muy curiosos. Después de su primer rechazo, que había conservado durante todo el tiempo que había durado nuestra primera cena juntos y que se había mantenido a la mañana siguiente en forma de miradas esquivas, su actitud se dulcificó de inmediato, sin transiciones. Pasó de mirarme aviesamente a situarse siempre junto a mí, buscando mi proximidad como buscaba la de Elvira, como un perro que, sin ser amigo de novedades, juzga inmediatamente las ventajas de una compañía ocasional y la aprovecha, por si acaso no resulta permanente. Rafael, al contrario que su hermano mayor, estaba siempre en casa. Daba la impresión de que siempre había estado allí y que allí seguiría. Salía alguna vez para hacer algún encargo de Elvira, pero sus recorridos debían de ser cortos y controlados, porque jamás se ponía el abrigo. Llevaba siempre la misma ropa y su humor también era siempre el mismo. Las bolsas que traía y llevaba eran pequeñas, de poco peso, unas medicinas para su padre, una pasta de jabón, un disco para su hermano, un libro. El día que salía se notaba su falta. Él lo compensaba con dos o tres días sin salir, sentado junto a su padre, leyendo el periódico. Hablaba poquísimo, pero su silencio no era molesto. Podía pasarse las tardes enteras callado, viendo la televisión, pero de pronto decía algo que compensaba con creces esta especie de ausencia. No es que sus comentarios fueran locuaces ni profundos, pero tenían la calidad de las palabras de los niños, una especie de vigor o salud que denotaba un espíritu libre. Cuando hablaba, aunque sus palabras se referían a las cosas más nimias, yo tenía la impresión de que todo estaba bien, y que el tiempo que había permanecido callado, como muerto, en realidad era un tiempo que había estado muy bien ocupado. A pesar de su sociabilidad, una sociabilidad callada y no taciturna, nunca me invitó a conocer su cuarto. Ni lo quise hacer. Nunca decía «me voy a dormir», o «me voy a mi cuarto». Desaparecía tranquilamente, como aparecía, y en su manera de caminar, lenta y un poco despistada, parecía dar a entender que no tenía el menor interés seguirle con la mirada, fijarse adónde iba o detenerse en su presencia cuando llegaba. Siempre estaba donde estaba. Cuando no estaba, nadie sabía dónde estaba. De hecho, nunca supe cuál era la puerta de su habitación. La ubicaba al lado de la cocina, pero ésta era una puerta inconcreta que podía ser también muchas otras cosas, lavadero, guardarropa, despensa, almacén. Debía de tener treinta años, pero aparentaba muchos menos. En su rostro no se advertían las señales del tiempo. Su expresión, como su manera de caminar, rechazaba las miradas. Era difícil mirarle a los ojos, observarle. No es que fuera esquivo y no se dejara auscultar, sino que más bien, y quizás en eso radicaba su resistencia al tiempo, en sus ojos había más curiosidad hacia fuera que interés hacia dentro. Su cara, como un espejo, inmediatamente reflejaba la del observador. Era él el que miraba, cuando miraba. Cuando no miraba, no miraba a nadie y nadie le miraba. Quizás por eso no resultaba extraña su falta de actividad, sin otras ocupaciones que ir de vez en cuando, los fines de semana, a algún museo. Alguna vez le pregunté por qué no lo hacía los días de diario, cuando pueden disfrutarse las salas vacías, si el arte le importaba tanto. «Es cuando se va», me contestó, dispuesto a no propasarse ni un centímetro de la raya que le separaba tan flagrantemente de la normalidad, con esa liviandad que le era propia y que para mí se fue convirtiendo, como todo lo que pasaba con los habitantes de aquella casa, en un signo de su verdadera gravedad.

Con el padre de Alberto me pasaba lo mismo. Empezó a tratarme inmediatamente como a una hija. Su colaboración, desde el primer momento, me inquietó. Con las personas mayores pasa lo mismo que con los niños. Los niños por su inocencia y los viejos por su experiencia, siempre nos ponen contra la pared. Podemos engañarnos a nosotros mismos, pero a ellos no los podemos engañar. Engañar a un niño resulta tan fácil como doloroso. Pretender engañar a un viejo, además de imposible, resulta vergonzoso. Ante ellos, nuestra conciencia se mueve con más cautela, porque de algún modo siempre salimos perdiendo. Que el padre de Alberto me cogiera cariño y me abriera sus puertas me inquietaba enormemente, porque yo sabía que no podía permanecer en aquella casa. Sin embargo, nada hubiera sido diferente si su actitud hubiera sido la contraria, la de una reserva y una resistencia a algo que inevitablemente tiene que pasar, que había de pasar, y de algún modo intuí que aquella amabilidad era una manera de anticiparse a los hechos, una sabiduría que le protegía. Su comportamiento no era el de un patriarca. Más bien se mantenía al margen de lo que se hablaba y lo que se hacía, con una media sonrisa permanente. Su existencia se desarrollaba siempre diez minutos antes que la de los demás. Se levantaba antes. Desayunaba antes. Comía antes y se acostaba antes. Sólo en ciertas ocasiones se dejaba arrastrar al centro de una conversación o a la mesa de una comida en común, como el primer día que cené con ellos. Y en esas ocasiones su actitud era entusiasta y un poco retraída, como si temiera interrumpir o dañar con su presencia el curso de la vida que se desarrollaba ante sus ojos. Por las tardes salía a pasear, acompañado de Rafael o solo. Y fue en esos primeros días de mi estancia en la casa cuando me demostró su buena disposición. Cuando volvía y me encontraba en el pasillo, o ayudando en la cocina a Elvira, parecía alegrarse de que siguiera todavía allí, de que aún no me hubiera ido.

Lo que pasaba con su familia era solamente un reflejo de lo que pasaba con Alberto. Me di cuenta de que a través de mí se relacionaban con él. En su trato con ellos, Alberto era aplicado y distante. Los quería, pero con un cierto método. Se ocupaba de que todo estuviera en su sitio, apuntaba las visitas al médico de su padre, atendía los pequeños problemas de trabajo que Jerónimo traía a casa y que resolvía con él, pagaba puntual y generosamente el trabajo de Elvira, y hablaba cariñosamente con Rafael sobre el precio y la posibilidad de adquirir este u otro cuadro. Se encargaba de todo con tranquilidad pero sin costos, como una madre que hubiera estado ausente durante varios años y que al volver de su periplo mundano hubiera dejado el corazón en el camino y quisiera recuperar el tiempo perdido, pero ni un segundo más. Y si en él había algún exceso, no parecía caer en saco roto. Lo que daba de más lo invertía en una cuenta a crédito para cuando faltara, para cuando volviera a marcharse. Tuve la sensación por eso, y por otras actitudes que luego vi, que mi permanencia en aquella casa no sólo resultaba agradable y ventajosa a los otros habitantes sino que además era más segura que la del propio Alberto. A los dos días era él el que parecía estar allí de modo transitorio, y no yo.

Aunque él pareció olvidarse por completo, yo no me olvidé en absoluto del asunto del que me había hablado, de su relación con Piedad y la disputa con su hermana. Pero no pregunté nada ni quise indagar en su interior. No había ningún compromiso entre nosotros más que el de cada día. Él no me preguntaba lo que pensaba hacer y yo no le preguntaba por lo que había hecho. En torno a nosotros se abrió un paréntesis extraño. Por fuera, todo eran preguntas, dudas y curiosidades. Por dentro, sólo estábamos él y o, una amistad que fue creciendo insensiblemente, una unión rara. El armario con ropa de mujer, los familiares de Alberto, sus sentimientos hacia mí y mis propios silencios se estrellaban al chocar contra el cristal que nos protegía, como pájaros o insectos que vienen a estrellarse en los coches. Esa invulnerabilidad tarda a veces mucho tiempo en desaparecer, y puede llegar a hacerse eterna si de vez en cuando se limpia el parabrisas. Conducirse, sin embargo, durante mucho tiempo con el cristal que nos permite avanzar invadido de manchas sanguinolentas y pequeñas huellas secas de insectos o pájaros resulta sencillamente imposible.

Prácticamente, durante los dos días que siguieron a mi llegada no salimos de la habitación. El primer día, cuando Alberto llegó de la calle con los pasteles y el champán, habló algo con su hermano y me condujo de la mano hasta el cuarto.

—Me alegro de que estés aquí —me dijo—, no sé si es lo mejor para ti, pero me alegro.

Entonces, todo lo que fueron demostraciones de cariño, miradas y caricias por su parte difícilmente encontraban una respuesta equivalente en mí. No había en las suyas una urgencia sexual, denotaban más amistad que pasión, eran de una calidad distinta a la amorosa, como si en realidad estuviera abrazando a una persona que no veía desde hacía muchos años y a la que ya había dado por perdida, con la que le unía una confianza que desde luego conmigo no tenía. A pesar de su delicadeza, ese salto en el tiempo para mí era difícil de dar. Yo no sabía todavía por qué estaba allí, por qué le besaba y le abrazaba, por qué me alegraba de que todo aquello sucediera, y él parecía saberlo.

—Pase lo que pase, siempre estaré agradecido de que existas —me decía.

En seguida empecé a luchar contra sus palabras. Me resistía a quedarme fuera de sus apreciaciones, aun a pesar de ser objeto de ellas. No es que me resultaran oscuras o imprecisas. Al contrario, me hería su claridad. Aun cuando pretendían ser apasionadas, en el fondo describían siempre una situación objetiva. Lo supe después. En el amor, uno siempre tiene la esperanza de transitar por un camino desconocido hasta entonces. Con Alberto, siempre tuve la impresión, desde el principio, de que yo iba y él volvía. De que él me sorprendía a mí, pero que yo no le sorprendía a él, sino que más bien mi presencia constataba una antigua certeza que finalmente se producía.

—Quédate —me dijo—, quédate. No sé cuánto tiempo puede durar. Pero ahora estás aquí.

Había en sus palabras, también, una especie de amenaza. Y, por lo visto, la amenaza no provenía de él, sino de mí.

—Me dejarás —se reía—, cuando se te pase el miedo

me dejarás. Supongo que es lo mejor que puedes hacer. No me importa.

No sé si le importaba. Durante esos días viví, si se puede decir así, una doble vida. Por una parte temía que en cualquier momento se abriera la puerta de la habitación y tuviéramos que separarnos, y por la otra me defendía como podía de entregarme por completo a su amistad. Como un conejo perseguido, había dejado mi casa de Zurbano y me había ido a meter allí, a la casa del cazador. Pero más que un cazador, Alberto parecía vivir acorralado. A pesar de su seguridad, tuve esa sensación desde el principio. Creo que ya la tuve en Manoteras, y luego en nuestro encuentro en el Vip's. Seguramente, de todas las personas que conocí ese año, Alberto era el que más se parecía a mí. Él también, a su modo, huía de los otros. No era tan raro que Elvira nos hubiera dado por hermanos.

El tercer o cuarto día de estar en su casa tuvimos una pequeña discusión. Alberto empezó a preocuparse de mis asuntos. Empezó a preguntarme por mi trabajo y por lo que pensaba hacer. Yo no podía ni siquiera pensar en ir a Zurbano a recoger mis cosas. Clemente me las guardaba en el trastero, y allí seguirían hasta que yo encontrara un sitio al que ir. Alberto se indignó.

—¿Y tu libro? —me dijo—, ¿es que no piensas seguir escribiendo? No vas a encontrar una casa de un día para otro, puedes quedarte aquí el tiempo que quieras, pero tus cosas te pertenecen, no puedes dejar de existir.

Tenía toda la razón. Pero le pedí unos días más, unos días para pensar. Ahora, Alberto me acuciaba y la indolente era yo. Alberto salió de la habitación dando un portazo, le oí pasearse nervioso por la sala, y en seguida me avisó de que tenía que ausentarse. Su aviso fue tan terminante como todo lo que hacía. Parecía haber tomado una resolución. Volvió por la noche. Sus hermanos y su padre le recibieron como a un héroe, como se recibe a una persona de la que no estás segura que vuelva. Pero Alberto no se detuvo con ellos. Entramos en nuestra habitación. Su cara reflejaba una felicidad que nunca había visto en mi vida y que nunca he vuelto a ver. Traía una mochila consigo. La abrió teatralmente y, sin decir nada, vació su contenido sobre la cama, que se cubrió de una nevada de billetes. Era mucho dinero. Más del que se podía contar.

—Aquí tienes —dijo—. A esa gente sólo hay que plantarle cara.

Me quedé sin saber qué hacer.

—Al final va a resultarnos rentable y todo —dijo.

—¿Rentable el qué? —pregunté.

—Tu desalojo. Me lo he cobrado.

—No tenías que hacer eso —dije—, yo no quiero nada de Piedad ni de su hermana. No quiero ni mis cosas. No las quiero.

Alberto no perdió su entusiasmo. Mis palabras no encontraron en él el menor eco.

—Pero yo sí —dijo—. Te advertí que no me iba a quedar quieto. A esa gente no le importa el dinero. Tienen montones. Casi les haces un favor.

Y a continuación, del fondo de la bolsa, extrajo la carpeta con mis manuscritos.

—He recuperado esto —me dijo—, al menos puedes seguir escribiendo, no tienes por qué pararte.

Parecía un niño que hubiera conseguido un premio en el colegio. Iba a contarme cómo se había desarrollado su encuentro con Lucía, y luego su visita a Zurbano, pero no lo quise escuchar. Recogí la carpeta con mi trabajo. Alberto continuó:

—Nosotros tenemos algo que no tiene esa gente —me dijo—. Algo mucho más valioso, África.

Me alegré de que pronunciara mi nombre. Por un momento pensé que iba a llamarme Piedad.

—¿Esa ropa que hay en el armario es de ella? —pregunté.

Alberto se puso serio. Sentí cómo caía su rostro a pedazos.

—¿De quién? —dijo.

—De Piedad. De cuando vivió aquí.

Alberto se levantó y fue a sopesar los montones de dinero. Luego los metió cuidadosamente en la bolsa de donde habían salido.

—¿Qué importancia tiene eso? —dijo.

—Ninguna —contesté—, sólo que no sé por qué las guardas. Alguna importancia debe de tener.

—Yo no guardo todo eso —dijo—, está ahí simplemente. No lo metí yo y yo no lo voy a sacar. Ésta no es mi habitación. Es tan mía como tuya. Hace diez años que no vivo aquí. Se quedó así cuando la dejé. Ni siquiera sé lo que hay.

Alberto se acercó al armario con la intención de abrirlo y mirar lo que había dentro. Los movimientos de las personas son lo único que no puede engañarnos. Su manera de dirigirse a algo o de levantarse de la silla las delata. Sólo las personas que se mueven atropelladamente o que se quedan quietas intentan borrar ese rastro. Seres hieráticos, congelados. Seres apresurados, precipitados. También a ellos se les puede ver. Alberto se dirigió al armario con absoluta tranquilidad, con la tristeza a cuestas de tener que abrir un armario sin saber por qué, como un niño que recibe la orden de devolver su premio a la oscuridad de las cosas que no nos pertenecen. Me acerqué. Yo misma abrí la puerta. Cogí un par de cosas. Un jersey verde y un pantalón vaquero. Me desnudé y me vestí con esa ropa. Era mi talla. Me quedaba bien.

Cuántas cosas no suceden porque decidimos hacer algo

que no queremos. A veces pienso que la vida está hecha de actos involuntarios. Caminar serenamente por la senda que nuestra mente traza de antemano es como caminar por la muerte. Sólo nos salva lo imprevisto, lo que hacemos contra nosotros mismos. Abrir la puerta de aquel armario fue como abrir la puerta de un paraíso desconocido. Nunca me arrepentí de hacerlo. Quizás permaneció abierto demasiado tiempo. Quizás mi único error fue no darme cuenta antes de que sólo yo lo había abierto y sólo yo lo podía cerrar.

Me acostumbré a ir con ropa que no era mía. Me acostumbré a vivir con el dinero que Alberto traía de sus encuentros con Lucía. No se producían con mucha frecuencia, pero Alberto parecía vivir para ellos. Era su revancha con la vida. A cambio, Piedad vivía tranquila. Y todos vivíamos de aquello. Pero nunca me acostumbré a querer a Alberto. Era él el que quería. Yo notaba en sus manos, en sus labios, en sus ojos que era él el que quería, y que había de ser él el que dejaría de querer. Era él el que hacía planes, no yo. Era él el que se proyectaba a un futuro donde acaso tendríamos hijos, el que me preguntaba por mi familia, el que se interesaba por cómo había pasado la noche, o el día, cuando él faltaba. Todo estaba por su parte demasiado claro. Creo que, por mi parte, desde que jugamos a intercambiarnos aquella ropa trasnochada de diez años sólo intentaba satisfacer su ilusión. Así transcurrieron un par de meses o tres. La actitud de Alberto con respecto a mí no dejó de ser amable y cariñosa, pero ya no había en él la alegría del principio. En ningún momento me recordó que debía buscar una casa. Yo retomé mis colaboraciones, pero cada vez más espaciadas. La crítica de mi libro pasó sin pena ni gloria por un par de suplementos de libros y seguí viviendo allí sin el menor convencimiento.

El episodio del dinero se repitió varias veces. Pero, a

partir de un momento, ya no tuvo que ausentarse Alberto. Stoneman apareció en la puerta y me entregó un sobre para él. Ni siquiera se aseguró de que aquello llegara a sus manos. Estuve tentada de ocultarlo, pero no lo hice; le pedí que lo devolviera, que se olvidara de todo aquello, y volvimos a discutir. La reacción de Alberto a mis demandas esta vez fue más violenta.

—No tienes que vivir conmigo —me dijo—, no tienes que soportar todo esto. Te dije que no sabía si quedarte era lo mejor para ti.

Eso sucedió la tercera o cuarta vez que Alberto recibió dinero. Ahora no podría calcular cuánto tiempo llevábamos juntos. Creo que me fui enamorando de él sin darme cuenta, y seguramente sus escapadas contribuyeron a mi empeño. Cuanto más lejos le veía, más necesitaba acercarme. Cuanto más segura estaba de que todo aquello no tenía ningún sentido, mi cabeza más trabajaba por procurármelo. Querer a una persona hace que el tiempo desaparezca. Todos los días parecen irrepetibles y, a la vez, el mismo. La continuidad se desvanece porque no hay dolor. Con Alberto, ese dolor era una presencia constante, pero cuando él desaparecía ese dolor era insoportable. Ahora me pregunto qué hice yo durante todos aquellos meses, a qué me dedicaba, qué pensaba. Sólo recuerdo que seguí escribiendo, pero cada vez menos. Mis sentimientos con respecto a Alberto colmaban todas mis necesidades. Con una mirada suya, o con ir junto a él de la mano, sentía que tocaba el cielo. No necesitaba nada más. La perfección era estar cerca de él, esperarle cuando se marchaba, recibirle cuando llegaba. Fui durante todo aquel tiempo un habitante más de la casa, un habitante más orbitando en torno a él. ¿Qué hacen los planetas en su constante devenir, en la inmensidad del tiempo, en la infinitud, quietos y en movimiento perpetuo, qué labor hacen, qué trabajo desempeñan? Así viví cerca de Alberto, pendiente, como los demás, de que nada alterara el aparente equilibrio que nos sostenía.

Después de nuestra discusión, este equilibrio pareció resquebrajarse durante unos días. Reaccioné aferrándome todavía más a él, pero la grieta estaba abierta y era una grieta que no se iba a parar. Alberto empezó a mirarme de otra manera, como a una extraña. Me refugié en su familia. Busqué el apoyo de Elvira, de su padre, de Rafael. Pero había una diferencia radical entre ellos y yo. Ninguno de ellos se había cuestionado nunca la manera de vivir de Alberto, más bien eran un resultado de ella, estaban cómodos con su vida rara. Los días que sucedieron a aquella discusión, Alberto cambió. Dejó de hablarme, de mirarme. Supongo que debí marcharme de allí. Pero no lo hice. En su indiferencia, yo leía una inmensa necesidad. Con su crueldad, Alberto me transmitía un gran amor. A pesar del desierto en el que me sumí, me sentía capaz de levantar con mis propios brazos todo el peso de la casa. Mis ánimos se redoblaron. Mi esperanza, cómo explicarlo, finalmente se asentó. Casi resulta gracioso. En el momento más triste, en la más profunda de las desgracias, empezó a crecer dentro de mí un amor tan dulce... Acepté su silencio, su desprecio. Durante el día estaba fuera. Dejó de venir a la casa muchas noches. Cuando llegaba, su rostro aún conservaba por unos momentos la luminosidad de una cierta ilusión, de una vida que transcurría fuera y que le era plenamente satisfactoria, pero en cuanto sus ojos tropezaban conmigo, esta alegría se desvanecía. Eran unos segundos de desilusión, y luego, la posibilidad de hablar con su padre o con Rafael le volvían a la vida. Traía regalos para ellos y para Elvira. Como un rey mago que no pudiera vivir sin repartir cada día un trozo de ilusión, entregaba una pequeña pulsera a la sirvienta o desempaquetaba un par de zapatos para Jerónimo. Aquellas demostraciones de cariño hacia los otros no me herían; al contrario, respiraba de verle contento, aunque no fuera yo el motivo de su alegría, aunque mi presencia sólo sirviera para empañar estos momentos.

Acepté incluso la idea de que Alberto estuviera viéndose con alguien. Comprendí que si resistía un poco más recuperaría su confianza. Pensaba que su infierno era mayor que el mío y que ahora estaba preparada para quererle. Ahora no le iba a fallar. Empezó a instalarse en mí la idea de que Piedad tenía ciertas claves que me podrían servir. Quizás no era tan malo intentar hablar con ella. En mi situación, empezaba a entender también su trastorno. Pero inmediatamente me alejaba de estos pensamientos una especie de superstición: creía que ir a ver a Piedad era volver atrás, volver a un momento en el que Alberto ni siquiera existía para mí.

Después de la última visita de Stoneman y de nuestra discusión, Alberto dejó de hablarme. Pero también dejó de recibir dinero. Entendí aquel cambio de vida como algo a mi favor. Decidí darle tiempo.

Finalmente, después de muchos días de ignorarme, después, quizás, de dos meses de horarios imprevisibles, de salidas y entradas compulsivas, Alberto volvió una noche a la hora de cenar. La rutina en la casa se había conservado sin él y, al parecer, sin mucho esfuerzo por parte del resto de los habitantes. Me impresionaba que ni sus hermanos ni su padre hubieran siquiera detectado en su comportamiento el más mínimo cambio. Realmente, sólo estuvieron alerta durante los primeros meses, cuando más constante y previsible fue la presencia de Alberto en la casa. Cuando ésta falló, ellos parecieron aferrarse a una normalidad instintiva, indiferentes por completo a los cambios de humor de Alberto y a nuestra nueva relación, tan llena de tensiones, todas ellas indisimuladas y evidentes. Incluso Elvira, la asistenta, parecía más relajada y dispuesta, como si su trabajo consistiera en eso, en parecer tranquila, como si le pagaran por sonreír. Fue también lo que me hizo resistir. En aquella normalidad controlada fueron pasando los días, y, de algún modo, lo que no tenía de Alberto lo recibía de ellos. El mismo Rafael se volvió más locuaz. Tampoco el padre cambió su relación conmigo. Empezamos a tener de vez en cuando conversaciones sobre poesía. Aunque de un modo muy rudimentario, sus consideraciones siempre eran acertadas. Le gustaba la idea de que yo me dedicara a tal cosa. Para él era un misterio que le merecía mucho respeto, como todo lo que pasaba a su alrededor. Menos Jerónimo, que en todo era un zafio menos en su trato conmigo, todos de algún modo parecían personas sensibles. A aquellas alturas de nuestra convivencia me resultaba evidente que habían vivido durante mucho tiempo del dinero que Alberto traía, y que se habían acostumbrado a ello. Lo que ya no entendía muy bien es que pudieran ser indiferentes de aquel modo a la vida de su hermano.

El día que Alberto llegó para cenar, nadie se sorprendió. Alberto se sentó frente a su cubierto como si nada, y todo transcurrió con absoluta normalidad. Casi no me atrevía a mirarle, pero me encontré con sus ojos nuevamente relajados, sonrientes. Su crispación había desaparecido. Parece mentira. A veces, lo que más deseas se produce, y entonces te entristeces. Que Alberto me mirara nuevamente me causó dolor, un dolor mucho más intenso del que había padecido durante su retiro. ¿Qué podía pasar ahora? ¿De dónde venía aquella mirada? ¿Hacia dónde se dirigía? ¿Cuáles eran sus expectativas? ¿Podía yo cumplirlas, podía no fallar de nuevo ahora que él se disponía a cambiar? Acabamos de cenar y me resistí a imaginar lo que a partir de aquel momento haría Alberto. Él actuó con sosiego, como si intentara transmitirme no sé qué clase de serenidad, como si quisiera asegurarme que, pasara lo que pasara, debía mantenerme tranquila, porque él ya lo estaba, definitivamente. Me cogió de la mano y nos retiramos al cuarto. Noté en su tacto una suavidad rara, como si aquella mano se hubiera empequeñecido, como si buscara el hueco de la mía para esconderse, para no perderse. Lo cobijé, y por primera vez sentí miedo por él y no por mí. Por primera vez en todos aquellos meses sentí que era él el que estaba en peligro. No había ni en sus palabras ni en sus movimientos nada que lo delatara, salvo una enorme tranquilidad, una especie de calma completa, como si hubiera hecho algo que perseguía hacía tiempo, o como si hubiera tomado la decisión de hacerlo. Su dulzura y su suavidad me hicieron temblar, como si se quisiera anticipar a lo que vendría luego, como si quisiera compensarme, del mismo modo que hacía con su familia, para una larga ausencia. Luego, sus palabras confirmaron lo que era una despedida. En aquella conversación yo no intervine. Quizás dije algo, pero sólo recuerdo que escuché. Puse toda mi atención en lo que decía, no quería perder ni una de sus sílabas, ni una pausa. Entendí que eso era todo lo que me daba, todo lo que iba a recibir de él. Las acepté como un tesoro, como el único regalo que salía de su corazón, lo único que tenía y que le pertenecía enteramente.

—Escucha esto —me dijo—. Me voy a vivir con Lucía. Salgo con ella desde que estás aquí. Me veía con ella cuando salía con Piedad. En este mundo todos tenemos un papel, África. No quiero engañarme a tu lado creyendo que es posible algo que no puede suceder. Y tampoco quiero engañarte a ti. ¿Qué pensarías si te dijera que te he querido? Quizás lo has imaginado, y todavía sigues aquí, pensando que hay una posibilidad para el amor, para la salvación. Lo he intentado, he querido protegerte, he querido protegerme en ti, pero me doy cuenta de que tú no te mereces eso. A estas alturas, yo no puedo rectificar. Quédate en casa todo el tiempo que necesites. Pero no me esperes. No vendré. Cuanto más valientes parece que somos, sólo somos cobardes. Y lo que parece una cobardía, muchas veces es nuestro único valor. La línea que separa esas dos cosas es muy frágil, muy débil. Te viniste a casa porque tenías miedo, pero yo ya he perdido el miedo, yo no puedo acompañarte. Yo ya estoy del otro lado y tú todavía estás en éste.

Fue una noche larga, una noche llena de palabras. Alberto me contó que, desde que se conocían, Lucía siempre le había perseguido, que se había metido entre él y su hermana hasta conseguir separarlos, y que él se apartó. Se mantuvo al margen. Piedad se enteró, enloqueció y llegó a agredirle con un cuchillo. Lucía la internó en el psiquiátrico. Ella siguió en Madrid, acosándole de vez en cuando, hasta que Alberto empezó a salir con Belén. Lucía se fue a Estados Unidos y, a su vuelta, cuando Piedad regresó a Madrid, ya no hubo de su parte más acoso, sino amenazas.

—Lo de matarme —me explicó Alberto— nunca me asustó. Yo sabía muy bien que Lucía no sería capaz de hacer una cosa así. Supongo que Isaac también lo sabía. En realidad, aquella amenaza sólo era una forma de desesperación. Por mi parte, hui de ella desde el principio. No quería tocarla. No quería quererla. Yo quería a su hermana, y sin embargo Lucía estaba allí, Lucía era la que me necesitaba. Todos estos años he huido de su prepotencia, de su persecución. Ahora, Piedad está bien, se recupera. Está trabajando. Yo sé que cada día le irá mejor. ¿Te preguntas si quiero a Lucía? ¿Qué es querer? Quizás desde el principio la quise, o quizás la odié. La vida es muy rara, África. Después de diez años escapando de una mujer mi corazón ya no tiene ninguna fuerza. Al final te das cuenta de que no puedes seguir huyendo, de que la quieres, tú también la quieres. Me voy a vivir con ella. No creo que deba engañarte más, ni engañarme. No creo que lo merezcas.

La habitación se iba llenando de palabras mientras mi alma se iba vaciando hasta casi sentir sus paredes. Yo había amueblado aquel espacio en los últimos meses hasta no reconocer sus límites. Ahora sentía cómo se iba desalojando poco a poco, y me aterraban sus formas, como si por primera vez en mi vida me mirara al espejo y no reconociera a la mujer que había allí. No encontraba mi sitio entre las palabras de Alberto. Pero no dije nada. Me callé. Cualquier cosa que hubiera dicho sonaría a protesta. A veces, la única forma de enfrentarse a las cosas es el silencio. Escuché y callé. Me quedé quieta en la cama, incapaz de moverme y de hablar. Y al poco tiempo de permanecer así sucedió algo que no era nuevo para mí: como cuando dejé la casa de Zurbano, una ligera sonrisa, casi imperceptible, empezó a recorrer cada centímetro de mi alma. En el fondo me alegraba. Me alegraba de aquel desalojo, como si lo estuviera esperando. Me alegraba de ver aquel espacio vacío, abandonado. La aventura quizás empezaba a partir de ahí. Ahora sí que no tenía nada, ni casa ni alma, nada que perder.

Alberto siguió hablando, pero yo me dormí. Oía cómo caían sus palabras desordenadas en medio de la oscuridad, me dejé mecer por ellas, me entregué a un sueño profundo, un sueño en el que quise desaparecer.

Debieron de pasar varias horas cuando me desperté con un ruido de fondo. Al principio no lo identifiqué. Se me mezcló en los sueños y entre los músculos, que tenía doloridos de permanecer durante mucho tiempo en la misma postura. Pero luego el ruido se fue intensificando y reconocí un compás de inspiración y respiración, como si un ser enorme e inconcreto durmiera a mi lado. Me volví. Alberto aún estaba a mi lado. Y al fondo sólo aquel estertor profundo y rítmico, aquella respiración lenta de animal que descansa o agoniza, lejos y cerca, dentro y fuera de la casa, no sabía muy bien si dentro o fuera de mi alma. No me asusté. Me levanté para asomarme por la ventana que daba al patio interior. La abrí, y aquel ruido se hizo más patente, casi atronador. Todas las luces estaban apagadas, nadie salvo yo lo advertía. Por un momento pensé que estaba soñando y que me encontraba en la casa de Manoteras, escuchando el trabajo sordo y lento de la depuradora de agua. Era el mismo ruido, era aquella máquina. Me quedé maravillada escuchándolo, como si aquel ruido quisiera decirme algo. Regresé a la cama y dejé la ventana abierta. No me atrevía a acercarme a Alberto. Me sentía pequeña y segura mientras la máquina inmensa, fuera y dentro, hacía su trabajo.

En algún momento de la noche, alguien entró en el cuarto. No me moví. Vi que la puerta se abría y que una mujer, con mucho cuidado de no despertarme, se orientaba en medio de la oscuridad, avanzaba hacia el armario y lo abría. Reconocí a Piedad, pero parecía tener muchos menos años, una Piedad joven y en pijama que intentaba pasar desapercibida a través de la noche del tiempo. Yo no le contesté, pero ella me habló:

—Hace frío —me dijo—. He venido a buscar un jersey. ¿Por qué no cierras la ventana?

Cuando se fue sentí la helada que caía como una manguera por el patio interior. Se estaba haciendo de día. Las sábanas de la cama fueron haciéndose visibles con la claridad. Alberto ya no estaba. En el espacio que había dejado vacío ahora había una gran mancha oscura. Toqué aquella humedad. En mi piel, aquel líquido se secaba al instante, pero volvía a tocar las sábanas y volvía a notarlas mojadas. Fuera de la habitación, en el pasillo, oí

que entré en el Retiro. No sé por qué mis pasos me llevaron allí. Los parques nos llaman a veces. Cuando ya no tienes casa ni alma, las ciudades te ofrecen un parque. Son refugios para quien ya nada espera. Entré por la puerta sur y fui directa a la fuente para lavarme la cara y las manos. La herida había dejado de supurar y notaba la tirantez de la sangre seca en la barbilla, como si me rodeara el cuello una espesa telaraña. Entonces intenté ordenar mi mente. A aquellas horas, el parque todavía respiraba rocío. Algunos vecinos paseaban a sus perros, envueltos en confortables abrigos. Me crucé con varios jóvenes que hacían deporte y que miraban al infinito con sus caras congestionadas. Adapté mi paso a una marcha rápida, para pasar desapercibida. Empecé a recorrer el parque de derecha a izquierda, describiendo en círculos concéntricos la forma de una espiral. Empecé entonces a comprender las palabras de Alberto, la inesperada confesión que me había hecho poco antes de desaparecer. Mientras viví a su lado siempre había sentido un hálito de muerte, pero ahora ya no podía ayudarle, ahora ya era tarde. No sabía lo que le había pasado. Mi corazón y mis manos temblaban. ¿Qué habían hecho aquellos hombres con él? ¿Qué hacía toda aquella sangre en la cama? ¿Por qué huía yo ahora? ¿Por qué había saltado por la ventana? Imaginé a Alberto herido en alguna parte, perseguido. Recordé las palabras de Piedad cuando la conocí en su casa, su confesión de asesinato y la impresión que me causó. Empecé a pensar que, finalmente, aquella amenaza se había cumplido, que alguien había agredido a Alberto durante mi sueño, que alguien había conseguido filtrarse en nuestra habitación, y que no era posible que yo no me hubiera enterado. Pero no me había enterado de nada durante meses y quizás ahora ya era tarde. Yo ahora sólo podía huir. Buscaba a Alberto. Le busqué por el parque. Pensaba que no podía estar lejos, que no podía estar lejos de mí. Hice un peinado exhaustivo del Retiro que me mantuvo ocupada durante buena parte de la mañana. Calculé de tal modo mi trayectoria que después de una hora y media caminando había conseguido no pasar dos veces por el mismo sitio, y con esta ocupación mi espíritu consiguió sosegarse y el cansancio llegó. El sol estaba ya en lo alto, en pleno mediodía, cuando me senté a descansar en las columnas que enmarcan la zona este del lago, en el mismo corazón del parque. Estaba extenuada. Me tendí boca arriba, sobre una de las anchas escalinatas. Manteniendo entre sí distancias prudentes, había otra gente mirando el lago. Mi mente empezó a pensar entonces de un modo estratégico. Casi me había olvidado de los hombres que habían entrado en la casa y sólo pensaba en la forma de localizar a Alberto. No podía estar muerto. Era muy fácil que aquellos hombres me hubieran seguido con la intención de dar con él o con la idea de culparme de algo. No se me ocurrió acudir a una comisaría. Pensé que lo mejor era permanecer en el parque algunos días más, desarrollar por la tarde mi recorrido al revés, buscar un lugar cobijado de la helada donde dormir y recomenzar al día siguiente mi rutina de despiste. En algún momento aquellos hombres se darían por vencidos y abandonarían mi pista, que siempre los llevaba al mismo sitio. Entonces, cuando hubiera pasado un tiempo prudente, me dirigiría a la casa de Zurbano. Estaba segura de que Piedad tenía que saber algo de Alberto. Abrí los ojos, miré al cielo y me embargó una inmensa paz, como si las nubes asintieran con su rumbo de poniente a mi plan, como si me empujaran. En ese momento oí algo muy cerca de mí.

—Van muy rápidas —escuché.

Pensé que alguien hablaba a mi lado con otra persona, pero no oí ninguna respuesta. Volví la cara para mirar. Un joven vestido con ropas muy usadas se había sentado a mirar las nubes justo donde yo estaba. Aunque no me miraba me di cuenta de que me hablaba a mí.

—Van más rápidas hoy que ayer —dijo—, ésa es buena señal.

—¿De qué? —pregunté.

—El viento las arrastra —dijo—, o sea, que no lloverá. Al menos hoy. Mañana ya veremos.

—Sabes mucho del tiempo —comenté, y noté al hablar que un silbido pronunciado se originaba entre mis encías y mis labios. El muchacho se acercó un poco más. Tenía un aspecto lamentable, como si no se hubiera acostado en muchas noches, pero su cara era agradable. Parecía contento.

—Hoy es mi cumpleaños —dijo—, hace dos años que vivo aquí. En este tiempo ha llovido cuarenta noches. Por la noche es peor. Has de prever el tiempo. Así se aprende.

—¿Y no puede pasar que te sorprenda el tiempo? —pregunté.

El muchacho parecía muy seguro. Me contestó con una sentencia irrefutable:

—En absoluto —dijo—, sólo los pardillos se dejan mojar. Lo tengo todo previsto. Si veo que va a llover, me voy a la sierra. Me gusta pasar las noches de lluvia en el campo. Es muy triste ver cómo se encharcan las azaleas, y las barcas. El lago crece hasta desbordarse. Y luego, por la mañana, todo el parque se llena de patrullas municipales, jardineros, guardas. Limpieza y poda general. A mí no me cogen. Yo me voy a la sierra y amanezco libre en plena naturaleza. Nada de pasar la noche debajo de un puente o en el metro. Aquello se llena de maleantes. Se pegan por un centímetro de techo. Pero hoy no lloverá.

Entonces vi que se fijaba en mi cara.

—¿Qué te ha pasado? —me preguntó.

Instintivamente, mi labio superior se replegó sobre el trozo de diente que me faltaba. Me di cuenta de que no era fácil hablar y ocultarlo al mismo tiempo. Me ayudé con la caída del pelo.

—Me he caído —dije—, no es nada.

—No —insistió el muchacho—, te pregunto qué ha pasado, por qué estás aquí. Todo el mundo viene aquí por algo. Estás justo en el centro del parque. Te he visto pasear y rodearlo.

—Bueno —titubeé. Pero su pregunta era muy clara y su franqueza me inspiró una confianza inmediata; sin embargo aún esperé un tiempo para dar alguna explicación—. ¿Y tú? —le devolví la pregunta—, ¿qué te ha pasado a ti?

El muchacho se acercó y advertí la delgadez de su cuerpo. Sus movimientos eran rápidos, casi atléticos.

—No pasa nada porque me lo cuentes —dijo—, yo me olvido de todo. Me lo cuentas hoy y mañana ya no me acuerdo. Es posible que mañana, si nos vemos, te lo vuelva a preguntar. O sea que puedes contármelo o no, en cualquier caso es lo mismo. Si me lo cuentas, me olvidaré. Y si no me lo cuentas, siempre tendrás la oportunidad de contármelo. O sea que puedes estar tranquila. Yo inspiro mucha seguridad.

Sus palabras, lúcidas y descaradas, me hicieron reír. Hacía tiempo que no me reía, y al hacerlo me di cuenta de que la herida empezaba a cicatrizar y que no me importaba que me la viera. Sin embargo, él no se rió. Hablaba en serio.

—Ése es mi problema —continuó—. Mi problema y mi ventaja, depende de cómo lo veas. Mi memoria no retiene nada del pasado. Por eso estoy aquí. No me acuerdo de mis padres ni de dónde está mi casa, si es que alguna vez la tuve. No me acuerdo ni de mi nombre, si alguna vez me lo pusieron. Aquí me llaman el Culebra —y me extendió una mano que efectivamente parecía, cuando la estreché, el extremo de un gusano—. Eso es porque me gusta estar aquí tendido al sol.

El Culebra se quedó callado, mirando las nubes. Como vio que no hablaba, de nuevo me inquirió:

—Cuando uno dice su nombre, el otro también lo dice —me explicó, como si leyera en el cielo una ley atmosférica.

Me quedé callada, también mirando el cielo. El Culebra se echó a reír, y su risa provocaba ondas oscilantes en su cuerpo.

—No me río de ti, perdona —dijo—, me río de mí. Me acabo de acordar de que tengo una cita con los otros colegas del parque. Les prometí que celebraría mi cumpleaños. Cuando me acuerdo de algo me da la risa, lo siento.

Y con aquel súbito recuerdo, el Culebra se levantó y se dispuso a marcharse. Antes de que se fuera lo paré.

—Espera —dije—, ¿quieres saber por qué estoy aquí?

El Culebra se volvió. Todavía había en su cara restos de risa.

—Ya lo sé —me dijo—. Tú buscas a alguien. Tú sufres por amor. Hace mucho tiempo que no venías por aquí, ¿verdad? Los colegas se alegrarán de verte. Me han hablado mucho de ti. —El Culebra me echó su brazo de gusano por el hombro y nos pusimos a caminar—. Bueno, yo sabía que hoy me pasaría algo importante, no hay nada más bonito que volver a ver a un amigo. Aquí no hay rencores, ¿sabes? Aquí lo que cuenta es la amistad.

Me dejé llevar del brazo del Culebra. A veces, uno sabe que está haciendo algo malo y, sin embargo, no puede rectificar. No vi la necesidad de apartarme de él. Pasara lo que pasara, aquélla era una pista a seguir. Tanto si llovía como si no, las nubes seguían avanzando.

—Los que sufren por amor son los mejores —me espetó de pronto el Culebra mirándome a la cara y ajustándose a mi paso—. Ya lo pensé cuando te vi. Por la cara, ¿sabes?, y por el pelo. No hay muchos, pero se les conoce bien. Siempre van buscando a alguien, y hablan poco. Pueden permanecer callados durante horas, pero da gusto mirarlos. Da la impresión de que gracias a ellos uno existe. Son los más importantes, y los más respetados. Aquí, todos estamos solos, pero los que están aquí por amor parece siempre que estén acompañados, que no necesiten nada más. Son muy sabios. Tienen una gran autoridad. Si hay peleas siempre son ellos los árbitros, y si aparece la pasma son capaces hasta de engañar a la mismísima jefa de distrito. Luego están los asesinos, esos que no han matado nunca a nadie pero andan siempre buscando la ocasión de un buen lío. A ésos hay que mantenerlos a cierta distancia, siempre andan buscando tu complicidad, no dejan de hablar, parece que quisieran llenar el mundo con su ego. Son insoportables. También hay los que están aquí porque se han arruinado. Suelen ser tremendamente hipócritas, pero son divertidos. Nunca acaban de aceptar su situación y eso los vuelve imprevisibles. Tienen grandes recursos para la mendicidad. Son los únicos que a lo largo del día ganan algo, y entonces, si te pones a su lado y los halagas, comes. No hay que despreciarlos. En el fondo son generosos, así que hay que perdonarles su presunción. Luego están los que han sido abandonados. Suelen ser los más viejos, los más longevos. Pero siempre están esperando a que los venga a buscar su madre. Son los menos sociables y los más escrupulosos. Pasan meses enmierdados en el más profundo abandono y de pronto un día se despiertan peinados y lavados, con ropa nueva, convencidos de que de un momento a otro su mamá vendrá a por ellos y se los llevará a casa. Ésos son los que más pena dan. Eso no quita que cada uno por separado tenga su encanto. Llevo dos años aquí y todavía no me he cansado. En el fondo, todos tienen buen corazón. Cuando uno desaparece se le sigue echando de menos, siempre.

—¿Y tú? —pregunté.

El Culebra pareció alegrarse de mi curiosidad.

—Ya te lo dije, no me acuerdo de nada, por eso estoy aquí. A lo mejor, algún día me acuerdo de quién soy y tengo que irme. Eso no quiere decir que no sepa cosas, ¿eh? Sé muchas cosas, pero todas del futuro. En mi cabeza hay una matemática que no falla. La gente viene a preguntarme y, si me caen bien, se lo digo.

—¿Y cuando es algo malo?

El Culebra me miró.

—Nunca hay nada malo —aclaró, con gravedad—, nunca hay nada malo. ¿Morirse antes o después? Qué más da. Este tiempo es un tiempo muy pequeño. Después viene el otro —dijo, trazando con sus brazos ondulantes un ocho acostado en el aire—, el infinito, y allí te encuentras con todos, con todos los amigos perdidos. ¿Es que no te lo han contado?

En seguida estuvimos frente al quiosco del Retiro. Cuatro personajes esperaban tomando el sol en las sillas. Al principio, mi llegada no provocó ningún entusiasmo. El Culebra y yo nos sentamos junto al grupo. Había una mujer y tres hombres. Los cuatro se habían vestido con sus mejores galas para la ocasión. Pero debajo de aquellos trajes de tallas dispares emergían abotargadas las caras y los dedos, como si la ropa los asfixiara. La camarera se acercó para atendernos. Por su manera de hablarles, con seguridad los conocía. Su paternalismo me pareció denigrante, pero ellos parecían satisfechos. Sus modales eran casi teatrales, como si estuviera representando una función para niños. Los vagabundos se dejaban halagar.

—Ahora ya podemos pedir —sentenció uno de ellos cuando el Culebra y yo ocupamos nuestros asientos. No hicieron la más mínima referencia a mi llegada—. A ver, qué queréis.

La mujer pidió un vaso de soda con una gran importancia. Sus ojos no se detenían en nada. Sólo, de vez en cuando, miraba su bolso, como si estuviera preocupada de que en cualquier momento se lo fueran a llevar.

—Es una abandonada —me explicó el Culebra—, no le hagas caso. Siempre se molesta cuando hay alguien nuevo. Ya se relajará.

—Bueno, Culebra, te estábamos esperando —voceó el mayor de todos, un hombre de cabeza grande y ojos muy pequeños—. Yo voy a pedir... a ver —y miró a la camarera con aires de gran señor—, una limonada, sí, con mucho hielo.

El que estaba a su lado era joven, casi un niño. Tenía una cierta belleza en la cara pero su mirada estaba enturbiada por un constante movimiento de los párpados, como si le molestara el sol.

—Yo soy Ángel —se presentó, extendiéndome su mano—, yo te he visto otras veces por aquí. Estoy casi seguro de que te conozco. Déjame que piense...

En ese momento, el cuarto del grupo, un hombre de rostro serio que no me había quitado los ojos de encima desde que nos habíamos sentado, le propinó a Ángel un codazo contundente, pidió una cerveza, esperó a que la camarera se retirara e inclinó su cuerpo hacia mí. Vi cómo su rostro se transformaba lentamente, como si de pronto recordara algo.

—¡Piedad! —exclamó—. Cuánto tiempo sin vernos. Qué ha sido de ti.

No supe qué decir. Miré al Culebra. Éste todavía tenía su mano extendida sobre mi hombro, en un gesto protector.

—Soy África —le corregí—, yo soy África.

Pero aquel hombre no reparó en mi nombre.

—Piedad —insistió—, soy Jacinto —dijo—. ¿No te acuerdas de mí?

Jacinto se levantó y, sin darme tiempo a reaccionar, me estrechó tiernamente. Cuando noté su cuerpo pegado al mío rompí a llorar. Nunca me había pasado. El llanto me nacía no sé de dónde, como del estómago, como si algo dentro de mí se hubiera roto y toda yo me vaciara.

—Eh, eh, no hemos venido aquí a llorar.

Los otros se quejaron. Sobre todo la mujer del bolso. La oí exigir su soda a gritos. La camarera apareció de nuevo con las consumiciones. Jacinto regresó a su silla, pero antes me susurró al oído unas palabras de consuelo, unas palabras que no entendí bien pero que agradecí como si por ellas me hablara mi madre. «No te preocupes —creo que me dijo—, luego hablaremos.» Me recompuse como pude. La camarera me miró con un inmenso desprecio.

—¿Y tú, tú no vas a tomar nada? —me preguntó.

Ni siquiera podía hablar. Las lágrimas y la vergüenza habían cubierto mi cara. Jacinto pidió una tila por mí.

Cuando la camarera trajo la infusión, Jacinto me cogió del brazo y los dos nos separamos a otra mesa. El Culebra y el resto del grupo continuaron festejando su convite, indiferentes a nuestra conversación.

—¿Qué pasa? —me preguntó—. ¿Lo has hecho? ¿Lo has matado?

Cuando oí aquellas palabras mi cabeza empezó a dar vueltas y sentí que me iba a desmayar, pero eso no ocurrió, sino que volví a experimentar una sensación que no tenía desde hacía mucho tiempo, como si todo lo que me rodeara se sobredimensionara para que mis sentidos lo percibieran en su totalidad. Siempre hay algo que se escapa a nuestra percepción, y esa pérdida es la que nos salva, la que nos deja actuar. Sin embargo, en aquel momento empecé a apreciar con más fuerza todo lo que pasaba a mi alrededor, como si entre la realidad y mis ojos no hubiera ninguna clase de obstáculo, y todo, absolutamente todo y todo al mismo tiempo, se amontonara a las puertas de mi cerebro para ser asimilado de inmediato y en el momento mismo en que las cosas se producían. Vi en un segundo a la camarera dar cambio a un cliente, su sonrisa, sus dientes perfectos, tan diferentes de los míos, y vi un pájaro posarse junto a unas migas y devorarlas, al tiempo que la abandonada devoraba su soda y el Culebra dibujaba con sus brazos de nuevo la forma del infinito. Veía a Jacinto ante mí, hablándome y gesticulando, y veía el lago a lo lejos, ondulante bajo la marcha imparable de las nubes en el cielo. Quería hablar, pero mientras hablaba estas imágenes se superponían a mis palabras y a las de Jacinto, como si todo lo que veía fuera lo único importante, como si nada de lo que dijera pudiera de hecho encontrar su sitio en medio de aquella avalancha de imágenes. Mis palabras debieron de sonar amortiguadas. Comprendía que estaba volviéndome loca.

—¿A quién he matado yo? —pregunté—. Yo no he matado a nadie. Son ellos los que le quieren matar. Alberto se ha ido. Está en algún sitio, lo sé. Tengo que ayudarle, pero no sé cómo. Tengo que encontrarle, no puedo dejarle así.

Me di cuenta de que mis palabras no servían de nada. Aquel hombre me confundía con Piedad.

—Ya no puedes hacer nada —me dijo—, ya no puedes hacer nada más. Ya todo está hecho. Estáte tranquila —insistió—, cálmate. Mejor así, mejor que no lo hayas hecho. Nunca te lo sacarías de encima, jamás. El amor no se elimina, te lo aseguro yo.

Intenté defenderme de aquella acusación, pero Jacinto no me culpaba. En sus palabras había la ternura de una vieja amistad, una amistad que había surgido hacía tiempo y que ahora yo reavivaba. Jacinto me consolaba y se consolaba a sí mismo.

—Sólo las personas a las que hemos querido nos pueden aliviar —dijo—, pero a veces hay que olvidarse, ya lo ves, a veces hay que buscar refugio en otra parte. Me alegro de que no lo hayas hecho —me dijo, con un sincero convencimiento—, me alegro tanto de que no te hayas metido en ese hoyo tremendo. Cuando te fuiste creí que todo estaba perdido, que no te volvería a ver. Me alegro tanto de que hayas vuelto. Ten un poco de esperanza, o no la tengas, pero confía en mí. Qué ganas con matar a un hombre que no te quiere. Qué venganza es ésa. Estarías toda la vida lamentándote porque seguirías queriéndole, querrías resucitarle. Déjale con su vida, algún día encontrará a alguien y tú te liberarás. En cambio, si le matas, también matas en ti la posibilidad del amor. Ámale como yo amo a la persona que no me ama. El amor no es de nadie, el amor es tuyo nada más. Nadie te lo puede quitar, ni tú misma. Cuando aprendas a convivir con eso llegará la libertad. Hay personas que pueden amar a otras. Nosotros, sin embargo, buscamos siempre a quien no puede amar. Buscamos el amor de quien menos amor tiene. Eso te honra, pero tú no puedes hacer nada. Déjale en el mundo, no hay ningún peligro para él. Su único peligro eres tú, por eso se aparta de ti, ¿es que no lo entiendes?

Escuché absorta el discurso de Jacinto. Su última pregunta me dejó en suspenso. Durante todo aquel tiempo había estado cogiéndome las manos, como si temiera que me fuera a escapar. Decidí no hablar más. No le hablé de las voces que había oído antes de saltar por la ventana ni de la mancha de sangre de la cama. Ya no sabía si lo que me pasaba sucedía sólo en mi cabeza o era realidad. Pero allí estaba, en medio del Retiro, cogida de la mano de un vagabundo, haciéndome pasar por otra. La alusión a la muerte de Alberto había dejado dentro de mí un temblor visible. Jacinto acariciaba mis manos intentando devolverme la calma. Sentí que lo mejor que podía hacer era esperar el momento adecuado para huir de aquel grupo siniestro y, mientras tanto, dejar pasar las nubes y el tiempo. ¿Qué voy a decir? ¿Que no necesitaba la compañía de Jacinto? ¿Que no agradecía sus caricias y sus palabras? Ahora me doy cuenta de que si me fui de allí, si dejé atrás a Jacinto y el Culebra, no fue por huir de ellos y ponerme a salvo. En realidad, mi mente preparaba la estampida porque a cada segundo sentía la necesidad de abrirles mi corazón, porque en el fondo tenía miedo de querer quedarme allí, en el centro del Retiro para siempre, cogida de la mano de Jacinto, dando vueltas y más vueltas por aquellos circuitos podados, admirando las azaleas del ayuntamiento.

Al otro lado de las mesas, la celebración había derivado en una discusión entre la abandonada y el joven moreno. La camarera se puso seria y los invitó a abandonar el lugar, cosa que hicieron sin rechistar, impelidos por una súbita obediencia. El Culebra se acercó a nosotros.

—Bueno, nena —nos interrumpió—, ¿ya lo sabes todo de tu vida? Jacinto conoce tu pasado, ya sé que no puedo competir con él, pero si quieres te leo el futuro. ¿O qué, no te interesa?

—Déjanos —reclamó Jacinto—, no estamos para adivinanzas, ¿vale, Culebra?

—Eso lo dices tú —insistió el Culebra—, y me apuesto lo que sea a que nuestra amiga lo que menos quiere es oír tus discursos. ¿No ves qué cara pone de aburrida?

—Venga, Culebra, no molestes.

—Si molesto, me voy —rectificó de inmediato el Culebra, haciéndose atrás de un salto.

Yo misma le pedí que se quedara. Tenía ganas de marcharme, pero después de lo que iba a decirme el Culebra ya no me quedaría nada más por oír. Cuando vio que el Culebra tomaba asiento, Jacinto se levantó, cogió su abrigo, y, como un paseante dominical que se ha detenido un momento a observar una ardilla, reemprendió el camino hacia el lago y se marchó. No se despidió. Ni siquiera mostró la más mínima indignación. Simplemente siguió su camino y me dejó junto al Culebra, como si su trabajo se hubiera acabado allí. Cuando le vi marchar de espaldas sentí un tremendo dolor. El desconocido volvía a ser lo que era, un desconocido; y yo no podía retenerlo. El Culebra me miró a los ojos y me advirtió:

—No pestañees. Cada vez que pestañeas me impides ver. No necesito mucho tiempo, sólo cinco segundos, para saber qué hay dentro de tus ojos.

Le vi acercarse y fijarse muy dentro de mí. Aguanté sin pestañear, y de inmediato el Culebra lanzó su diagnóstico.

—Tranquila, mujer. Nadie te puede arrestar por haber matado a un muerto —dijo—. Te aseguro que sólo se muere una vez.

El Culebra no se extendió en sus pronósticos.

—Si molesto, me voy —repitió.

No dije nada. Estábamos solos en las sillas del quiosco. La camarera nos miraba con una atención distraída. El Culebra se despidió de ella desde la distancia y también se marchó.

—No te cobro nada —me dijo, mientras se iba con sus piernas de muelle—, me caes bien.

Lo vi desaparecer entre la gente del mediodía. La camarera se acercó y me entregó la cuenta del grupo. Advertí en ese momento que aún tenía dinero. Pagué y me fui.

A partir de ahí, los días se amontonan unos tras otros, todos iguales. Todos iguales y diferentes, porque mi única rutina se convirtió en pasear las calles sin repetir jamás mis itinerarios. Desde que dejé la casa de Alberto, mi cabeza sólo pensaba en el modo de extender el dinero que tenía para poder comer, para dormir cada noche en un sitio distinto. Entretanto visitaba dos veces al día, uno por la mañana y otro por la tarde, el barrio de Zurbano. Pero en ningún momento vi a Piedad ni entrar ni salir. Quería hablar con ella. Quería contarle lo que sabía, lo que Alberto me había confesado acerca de su hermana, y lo que había pasado después. O que ella me lo contara. Seguramente ella sabía más que yo. Pero nunca me atreví a atravesar el portal. Veía a Clemente desde la distancia, y lo veía como a un enemigo. Estaba segura de que el portero haría lo que fuera para preservar la intimidad de su inquilina. No quería pasar por aquella humillación. Dormí cada noche en un sitio, hoteles baratos y pensiones sin vigilancia en las que no me costaba inscribirme sin dar explicaciones, siempre con el nombre de Piedad, que ya había adoptado como el mío. Cuando daba aquel nombre pensaba en mi madre. Pensaba que quizás así les evitaba algún dolor, el dolor de encontrarme después de varios meses, cinco o quizás ocho, sin tener noticias mías, sin saber nada de mí. Bajo aquel nombre me refugiaba de los míos y de mí misma, con la esperanza de que, mientras tuviera algo de dinero, aún podría encontrar a Alberto, o refugiarle, hacer algo por él. Lo que me había contado de Lucía no me lo creía. Estaba segura de que se lo había inventado para evitarme permanecer a su lado, para tratar de librarme de quienes le perseguían. Por eso no hacía otra cosa que esconderme, escondiéndome yo me parecía que le escondía a él, y el miedo a veces me impedía comer durante varios días. Cuando se terminó el dinero aún tuve recursos para seguir con mi huida alguna noche más. Desistí de todo. Desistí de merodear la casa de Zurbano, desistí de encontrarme a Alberto por las calles, y se me ocurrió algo que de pronto prendió una luz en mí: mis pasos me llevaron de un modo irreflexivo hacia el sótano donde Piedad me había recibido por primera vez. Caminé a tientas, dejándome llevar por la intuición a través de las calles de Chamberí. No recordaba exactamente cuál era la calle ni el número. Me parecía que había pasado mucho tiempo desde que había estado allí, tanto como el que media entre la lucidez y la locura, entre la claridad y la confusión, sólo que ahora era al revés. Tenía la sensación de que entonces, la primera vez que me acerqué a donde vivía Piedad, me había orientado como un ciego, sin prestar atención a lo que pasaba a mi lado y, sin embargo, ahora todo eran señales inequívocas, todo eran detalles y reconocimientos. No sabía cómo iba a dar con el sitio, pero estaba segura de que lo encontraría. Y, efectivamente, en seguida me pareció ver en medio del anochecer la pastelería donde yo había comprado las lionesas. Estaba cerrada. Apenas unas luces tibias iluminaban el escaparate. Enfrente, el portal de la casa que yo buscaba estaba entreabierto. No me hizo falta llamar para entrar. Bajé la escalera con un extraño presentimiento. Estaba oscuro como el primer día; más, si cabe, porque anochecía. Encendí la luz para orientarme. Una bombilla tenue me iluminó hasta el último rellano. Del piso de la portera salía un hilo de luz. La otra puerta, la que había sido de la casa de Piedad, estaba entornada. La empujé. Dentro, la luz escasa del crepúsculo dejaba ver a duras penas un interior desolado. Todavía quedaban algunos de los muebles que vi la primera vez que estuve allí. La mesa con dos caballetes, un colchón por el suelo con la ropa de cama sin estirar, una estantería sobre la que aún reposaban pinceles y óleo seco... como si la marcha de Piedad se hubiera producido de un modo precipitado. Desde entonces no parecía que nadie se hubiera instalado en aquel lugar. Nadie había limpiado el desorden de papeles de la mesa ni los platos y los vasos que se amontonaban en la cocina. Un olor penetrante de basura y humedad lo invadía todo. Estuve tentada de preguntar a la portera por el local. La recordaba como una buena mujer, me vino a la memoria el pollo asado. Tenía hambre. Pero estaba demasiado cansada. Había caminado más de la cuenta. Anochecía. Entorné la puerta todo lo que pude. No tenía cerradura. Aproveché la última luz que entraba por los cristales que daban a la calle para estirar la cama, y me tendí en ella. Me quedé dormida de inmediato. Al día siguiente todo sería mejor. Arreglaría un poco aquel lugar. Echaría toda la basura fuera. El sueño me invadió imaginando que cuando todo estuviera limpio y en orden, Alberto aparecería. El dinero y las fuerzas se me habían acabado. Ya sólo tenía que esperar.

El frío me despertó varias veces a lo largo de la noche. En una de esas ocasiones sentí unas manos que retiraban el edredón de mi cara. Estaba amaneciendo. Entre las sombras reconocí la cara de la portera, que me miraba. Sentía el cuerpo molido y no tuve fuerza para despertarme totalmente. La mujer se marchó. Volví a quedarme dormida hasta que las ruedas rugientes de los coches empezaron a atronar el semisótano. Cuando me quise levantar noté que unos brazos me ayudaban a incorporarme. Noté su fuerza. Eran dos hombres que hablaban entre sí mientras juntaban mis manos y encerraban mis muñecas con unas esposas metálicas. Quise defenderme, pero uno de ellos me amenazó.

—Estáte quieta o será peor —dijo.

—¿Qué pasa? —pregunté.

En seguida vi a la portera en segundo término. Lo miraba todo de brazos cruzados, mientras asentía a las preguntas de uno de los hombres.

—Dígales que me dejen en paz, Fernanda —me acordaba de su nombre, y me parecía imposible que aquella mujer no pudiera ayudarme. Sin embargo no se mostró dispuesta siquiera ni a mirarme.

—Es ella —la escuché decir—, sí, es ella.

Volví a preguntar. No me resistí a ninguna de sus manipulaciones.

—¿Qué ha pasado? —insistí.

En ese momento, el que me había colocado las esposas se rió. Su risa me causó un cierto alivio. Parecía la risa de un adulto ante la trastada de un niño. Estaba segura de que todo aquello era una gran confusión. El segundo hombre, el que miraba y ordenaba el modo de esposarme y tratarme, reclamó la ayuda de la portera. Entre los tres me sostuvieron echada y noté un pinchazo leve en la espalda, y luego un dolor súbito que recorrió todas mis vértebras. Después, el hombre me miró con calma, dispuesto a tomarme en serio, dispuesto a darme una explicación. No le dejé hablar. Antes de que pronunciara una sola palabra hablé yo:

—He matado a un hombre, ¿verdad?

No quise ni siquiera mencionar el nombre de Alberto. Mis manos empezaron a sudar. Noté una piedra en el estómago. Vomité. Vi cómo la portera corría a limpiar los uniformes de los agentes, cómo nos abría la puerta. Los dos hombres me llevaron casi a rastras hasta el furgón que esperaba delante del portal. No me sentía desmayada; sin embargo, mis piernas no podían caminar. El coche se puso en marcha. Uno de ellos condujo y el otro me acompañó durante todo el trayecto. Me miraba como esperando mantener alguna clase de conversación conmigo. Se notaba que estaba incómodo. Pero yo no podía decir nada. Recuerdo que pensé que no debía ser fácil realizar aquel trabajo. Recuerdo que tuve pena por él. Agradecí que se mantuviera callado. No sabía adónde nos dirigíamos. Desde el furgón no se veía nada. Las ventanas estaban cegadas, pero, por los ruidos y el ritmo de paradas y puestas en marcha, era fácil adivinar que atravesábamos la ciudad. A partir de un momento supe que íbamos por carretera. El trayecto debió de durar una hora, aproximadamente. Cuando bajamos del furgón la oscuridad de la noche me cegó. Un hombre y dos mujeres vestidos de blanco se ocuparon de mí. La inyección con la que me habían sedado empezó a hacer su efecto, y, mientras atravesábamos pasillos innumerables, sentí un dulce desvanecimiento, y a continuación sólo noté un constante movimiento hacia adelante, hasta que este movimiento cesó, y, todo fue descanso y silencio.

DOCE

—

Durante el tiempo que estuve en el sanatorio psiquiátrico recibí varias veces la visita de mi madre. Sólo cuando oía su voz, cuando nos encontrábamos y ella me tocaba las manos con sus manos siempre frías, me inquietaba un poco. No podía mirarle a la cara. Veía en sus ojos un consuelo que no merecía. Veía esperanza. Me ponía impaciente cada vez que me anunciaban su llegada. Era como un regalo en medio de los días. Pero en cuanto le miraba a la cara, llena todavía de ilusiones, me echaba a temblar. Para mí, ella era un anuncio de algo que no deseaba, de un comienzo, de una nueva vida. Nunca conseguí hablar con ella de lo que había pasado.

—Olvídate de eso —me decía—, tú no has hecho nada. Intenta olvidarlo.

Nadie allí me daba explicaciones, ni me las pedían. El doctor Roig, el que me trataba, me advirtió de ello desde el primer día.

—África —me dijo—, esto no es la cárcel. Esto es un hospital. No estás aquí porque hayas matado a nadie. Lo que haya pasado con esa persona de la que hablas es algo que no podemos resolver nosotros. Nosotros sólo podemos ayudarte a ti.

Pasé mucho tiempo en el sanatorio. No era un sitio desagradable. Me acostumbré a mi propio silencio y al de los demás. Me di cuenta, con el paso de los días, de que no me llevaba a ningún lado intentar hablar. La verdad de todo lo que me había pasado era algo que estaba dentro de mí y que no podía salir de allí, y vivir era solamente convivir con ello, llegar a soportarlo. El paréntesis que se abrió desde que entré en el hospital hasta que salí fue un tiempo blando, que no contabilicé. Me sentía protegida. El día en que mi madre vino a visitarme para comunicarme que en pocos días me darían el alta, no reaccioné bien. Sus palabras pretendían ser dulces, pero me inquietaban. Su alegría no era la mía.

—Han pasado diez años —me dijo—. ¿No deseas ya volver?

Para mí, aquellos diez años habían transcurrido por una cinta invisible. Recibí sus palabras con frialdad. No sabía si quería volver a mi casa o no. La apatía y el cansancio se habían adueñado de mí. Había entrado obligada en aquel lugar y ahora tenía que abandonarlo. Los preparativos de mi marcha se aceleraron de pronto. Recibí un papel firmado por el director del centro y por el doctor Roig.

—Ahí afuera —me dijo— están las respuestas que buscas. Nosotros ya hemos cumplido con nuestra tarea. Ahora tú estás bien, no tienes que permanecer aquí.

Me explicaron que no vendría nadie a buscarme, que yo misma debía empezar a moverme por el exterior. Mis padres me esperaban en Armor. Hablé con ellos por teléfono antes de salir. Eso era todo. Todos estaban contentos de semejante resolución. Todos me miraban como si en mi persona se concentraran grandes ilusiones.

—Realmente, ahora empiezas a vivir. —Eso fue lo que dijo mi médico—. Es mucho más fácil de lo que piensas. Has llegado hasta aquí y ahora sólo tienes que desandar el camino. Tú sola. Nadie te puede ayudar.

Yo me sentía frágil.

—No tienes que temer nada —escuché—, es normal que te sientas insegura. Pero así tiene que ser.

Un taxi me esperaba a la puerta del centro. A partir de ahí yo era dueña de mi vida. No salieron a despedirme. Eso también formaba parte de lo que debía ser. Me senté en el asiento de atrás y esperé unos segundos a que el coche se pusiera en marcha. Pero el taxista no arrancaba.

—¿Adónde vamos, señorita? —me preguntó.

Era yo la que debía dar las indicaciones. Me excusé.

—Perdone —dudé un momento antes de pedir que me llevara a la estación—, vamos a la central de autobuses, por favor.

El taxi se puso en marcha. Rodamos un buen tiempo en silencio. Vinieron entonces a mi cabeza recuerdos de mi paso por la casa de Manoteras. Habían pasado diez años desde mi llegada a Madrid. Ahora yo estaba a punto de cumplir los treinta. Aún me acordaba de Eleuterio. ¿Qué habría sido de él? Y Belén, ¿seguiría viviendo allí?

—Perdone... —interrumpí al taxista.

—Dígame.

—Antes quisiera parar un momento en casa de unos amigos —dije.

—Pues claro, usted dirá.

Le indiqué la dirección de la casa de Manoteras. No estaba segura de que Eleuterio siguiera vivo. No había dejado de pensar en él durante todo el tiempo que duró mi internamiento. Lo más probable es que ya se hubiera muerto, pero quizás todavía pudiera ver a su mujer. Según empezamos a circular por la M-30 empecé a sentirme mejor. Los bloques de casas a un lado y a otro me eran conocidos. Oía al taxista que intentaba entablar conversación. Sus palabras no me dejaban concentrarme en la visión de la ciudad, un trayecto muy semejante al que había hecho al llegar, pero ahora en sentido contrario. Creo que me preguntó varias cosas, a las que contesté aleatoriamente.

—Es usted gallega, ¿eh? En esa dirección a la que usted va vive un señor muy importante. Gallego, también.

Me quedé callada. Supuse que aquel taxista estaba dispuesto a considerar importante a quien fuera a cambio de conversación.

—No sé si va usted ahí, claro —insistió—. Es escritor, creo. Le han dado hace poco el premio nacional de algo. Me ha tocado llevarle al médico una vez. Está mal, el hombre. Es una pena que la gente con tanto valor tenga que envejecer.

Mi sorpresa no podía ser mayor. Años atrás a Eleuterio no lo conocía ni su madre y ahora los taxistas me hablaban de él. Me acordé de Isaac, y de Stoneman. Yo no había cumplido sus pronósticos, pero quién sabe, sonreí, tenía toda la vida por delante. Mi silencio no le pasó desapercibido al taxista.

—¿Escribe usted también? Yo tengo un hijo que le gusta escribir. Siempre le digo que se dedique a otra cosa. Es peligroso, ¿no cree? Toda la vida entregada a vivir por los demás para que luego se acuerden de ti cuando ya estás muerto. O loco.

Vi cómo se acercaba el dedo a la sien, como si quisiera atornillársela.

—¿Y qué? —preguntó, aludiendo a mi estancia en el sanatorio—, ¿qué le ha pasado a usted?

No debería haber dicho aquello. Hay muchas maneras de conminar al silencio.

—He matado a un hombre —contesté.

El taxista bajó el dedo de la sien, se agarró al volante y se calló hasta el final del trayecto. No volvimos a hablar hasta que llegamos a la casa de Manoteras. El hombre no quiso cobrar.

—No es nada —dijo, antes de que le pidiera el importe. No me dio tiempo ni a pedirle que me esperara. Me bajé, y el coche desapareció por la esquina de la casa.

Volver a los lugares donde has vivido tiene algo de espectral. Que todo siga igual, los mismos olores, los mismos edificios, cuando dentro de ti todo ha cambiado, toma de pronto la forma de un reproche. O ni siquiera eso. Indiferencia. Es como si la arquitectura de la ciudad, imperturbable, te mirara pasar. Pensé que volver a pisar aquellos bloques de piedras blancas me causaría alguna agradable impresión, la que siempre nos produce el reconocimiento, una cierta nostalgia, una especie de apego, algún recuerdo entrañable. Llamé al portero automático de la casa de Eleuterio. La voz de Julia, cascada, tardó en hacerse oír.

—¿Quién?

Era el mismo timbre antipático de aquella mujer crispada.

—Soy yo —contesté—, soy África.

—¿Qué quieres? —me espetó.

Imaginé que el tiempo la había vuelto más irritable y más sorda.

—Quiero ver a Eleuterio —dije—, si puede ser. Soy la poeta gallega, África.

—Eleuterio está enfermo —me respondió—, no está para visitas.

Ya iba a irme cuando el sonido de la apertura del portal se impuso sobre sus palabras. Me pareció oír por detrás la voz amortiguada del viejo.

—Sube —escuché—.

Empujé la puerta metálica y subí los cinco pisos de escalera. Llegué arriba jadeando. La puerta de los ancianos estaba entreabierta. Julia custodiaba, tras la rendija, la cadenita de seguridad. Vi sus ojos asustados. Cuando me reconoció descorrió el cierre y me dejó pasar.

—Está al fondo —me dijo, sin permitirme siquiera acercarme a ella, dejando muy claro que si yo estaba allí no era por su voluntad.

Caminé por el pasillo y en seguida encontré a Eleuterio sentado en su silla de ruedas, recién vestido y aseado, peinado como un niño. Cuando me vio noté que sus ojos se alegraban.

—Aún no me he muerto —dijo—, me alegro de que me vengas a ver.

Los dos nos quedamos un momento en silencio. Eleuterio me invitó a sentarme cerca de él.

—No te preocupes por esa bruja —dijo, refiriéndose a Julia, que espiaba nuestra conversación—, no oye ni una palabra. Por eso mira. Déjala que mire. Dentro de un momento se irá.

Ambos permanecimos callados. Eleuterio se sumió en una especie de sopor. Le oí dos ronquidos profundos. Pensé que iba a dormirse cuando sus bronquios empezaron a reverberar dentro del pecho como una marea que creciera hacia el desbordamiento, hasta que poco a poco aquel gorgeo fue transformándose en una risa incontenible, una carcajada continua y creciente, sonora y profunda, interminable. Me miraba, intentando disculparse, pero la risa le abordaba de nuevo, con una intensidad redoblada. No sabía de qué se reía, pero la risa también se adueñó de mí. Me lloraban los ojos y me dolía la mandíbula, no podía parar. Hacía lo que podía para disimular mi dentadura estropeada, pero era un trabajo inútil; cuanto más intentaba cerrar la boca, más la abría. Eleuterio, entre las carcajadas, me señaló con el dedo.

—Ese diente —dijo—, tienes que arreglártelo, ¿no?

—Sí —contesté—, por eso estoy aquí —y de nuevo un brote de risa me invadió—, he venido al dentista.

Pensé que aquello iba a hacerle gracia, pero Eleuterio de repente se ensombreció.

—Tú vienes del manicomio —me dijo, y en su cara ya no había ni un rastro de humor—. Has pasado por todo eso, ¿no?

Me fue difícil recuperar la serenidad. Eleuterio continuó:

—Cuando te conocí lo pensé. Carne de cañón.

Sus palabras no me hicieron ninguna gracia. Había ido hasta allí con la esperanza de hablar con él.

—No te rías de mí —le pedí—. He venido a verte. He venido a contarte lo que me ha pasado.

—Ya. —Eleuterio puso su mano sobre la mejilla, dispuesto a escucharme, pero en su gesto noté un escepticismo indisimulado, como si lo que fuera a contarle no le interesara en absoluto—. ¿Y qué?, ¿has descubierto el secreto de la lejía?

—No sé si he descubierto el secreto de la lejía, pero conocí a un hombre —dije.

Iba a seguir, pero Eleuterio me paró:

—¿Y qué, qué pasó?

Le miré. No esperaba que lo entendiera, pero quería que lo oyera.

—Me volví loca. Creo que le maté.

Esperé la reacción de Eleuterio, pero sus pestañas no se movieron.

—Umm... —murmuró al cabo de un rato—, eso no suena muy bien.

Vi cómo su rostro se desinteresaba del mío, cómo empezaba a prestar atención a otras cosas, a la mesita de medicinas que tenía a su lado, al reloj y sus horarios, a la puerta entreabierta desde donde Julia nos había estado mirando hasta hacía un instante.

—¡Julia! —gritó llamándola—, ¿dónde estás?

En ese momento oímos la puerta de la entrada, que se cerraba.

—Ya está —exclamó Eleuterio—, se ha ido otra vez.

En aquel momento me hubiera gustado poder contarle otra historia, poder inventarme algo que fuera agradable, algo muy diferente, la caída del agua por el caño de la fuente de La Tilleira, el atardecer de la hierba y la arena en la playa de Armor, algo que mantuviera su atención un minuto más. Vi cómo ponía su carro en marcha e intentaba avanzar hacia la puerta.

—Espera —le rogué—, no fue exactamente así. No fui yo quien le maté. Todo fue complicado.

Eleuterio volvió el carro hacia mí con una agilidad que me devolvió la esperanza, pero su rostro en seguida la desmintió. Empezó a gritar, desesperado. Sentía que su irritación no era contra mí sino contra su mujer, que de nuevo se había escapado.

—¡Todo es mucho más simple! —exclamó—. No hay nada complicado. No me cuentes historias. ¿Vas a decirme que descubriste el amor? Tú no sabes dónde tienes la mano derecha. Has dejado que te encerraran como una idiota. Sabe Dios lo que habrás hecho, no me interesa. El amor no tiene nombre. No hay que pasar por muchas vidas para darse cuenta de que el amor siempre nos deja. Antes de ponerle la mano encima ya se ha ido. Te has dejado engañar y ahora vienes a que te escuche un anciano. No tengo nada que decirte. Yo no sé nada. No vas a saber nada de mí. Pensé que eras otra clase de elemento, pero ya veo que todos sois iguales. Aquí no hay nadie que tenga la cabeza en su sitio, ni aunque venga de Armor. Creí que ibas a contarme la historia de La Tilleira y te has ido por otro lado. Está bien, está bien. No me importa si has matado a alguien o no, ése es un asunto que tendrás que arreglar con tu conciencia.

—Pero en tu libro... —protesté.

—En mi libro, ¿qué? —refunfuñó Eleuterio.

—Tú hablas de las vidas de los otros. No sé, ha sucedido algo que siento que todavía tiene que terminar. Ahí afuera.

Eleuterio enarcó sus cejas, al borde de la crispación. Pero su rostro, tras un resoplido, se serenó.

—Pues arréglalo ahí —dijo—. No te lo van a arreglar en un manicomio.

Sus ojos se agrandaron, queriendo atrapar toda la luz que llegaba del exterior.

—Dios es grande porque es múltiple —dijo—, porque nunca podrás alcanzarle. Dios se esconde en cada hombre, se protege en nuestro interior. Tú tienes tu parte, pero sólo la tuya, y ni siquiera ésa te pertenece. Pretender acaparar la de otro es una gran soberbia, África, ¿cómo te atreves? Sólo los locos gozan de ese privilegio. Ven a Dios en cada ser. Pero su clarividencia no la entendemos. Sólo los poetas verdaderos se acercan a veces a rozar ese don. ¿Y qué tiene que ver eso con la muerte?

Me quedé callada. Eleuterio me miró.

—Ahora cuéntame —dijo, con un gran hastío—, ¿quién era ese hombre? ¿Qué pasó?

Le conté lo que pude.

—Alguien actuó por mí. No sé cómo ocurrió. Dejé mi casa. Lo busqué. Me encerraron. Tenía que matarle otra persona y creo que le maté yo.

—¿Le has hecho el trabajo a otro? —Eleuterio volvió a reírse—. Tú piensas como todos que Dios no es malo, ¿verdad? Piensas que vendrá a salvarte y todo eso, ¿no es cierto?

—Todavía tengo la esperanza de encontrarle en alguna parte —dije—, quizás no esté muerto. En el sanatorio me aseguraron que yo no lo había hecho.

Eleuterio pareció considerar mis pensamientos.

—Me estás hablando de algo que conozco bien —me dijo—. Los antiguos lo llamaban metempsicosis. Se trata del traslado de una alma a otra. Para los antiguos era una certeza que el alma de un hombre, al morir, se trasladaba a otra persona. En psiquiatría es un fenómeno estudiado como usurpación de la personalidad, una enajenación mental que puede manifestarse en diversos grados. Quien lo experimenta vive continuamente con la sensación de ser otro, de hacer los actos de otro. Todos los muertos dejan algo por hacer en esta vida. Pero también hay vivos que intentan desprenderse de su destino, o usurpar el de otro. Es probable —dijo, y su risa bronca amenazó de nuevo con interrumpir nuestra conversación— que te hayas cruzado con alguien así, alguien cuya alma ha encontrado un buen soporte en ti. Cargar con el alma de otro es la peor de las penitencias. Pero eso no es un crimen. Es una enfermedad. Suele durar unos años, ocho, quizá diez, luego se va.

Noté en mi propia cara una mueca ridícula que intentaba al mismo tiempo sonreír y ocultar el hueco del diente. Me daba cuenta de que mis palabras eran las de una demente. Me acordaba de Piedad cuando la conocí en su casa. Ahora era yo la que ocupaba su lugar, la que usaba sus palabras. Eleuterio empezó a mirarme con un ojo clínico. Me observaba como a una cosa. Agradecí como un bálsamo aquel detallado escrutinio.

—De todos modos —dijo—, tú no me engañas. Tú no has matado una mosca en tu vida. Lo que tienes es que ir al dentista, eso sí.

Me levanté. Eleuterio dirigió su silla de ruedas por delante de mí. Le veía de espaldas, afanándose con las ruedas del carro. Seguía hablando sin volver la cara:

—No te tomes a mal mis palabras. A un viejo no se le puede tener en cuenta nada. Yo ya no soy ninguna amenaza. Cuando vuelvas a Armor, yo ya me habré muerto. Te deseo suerte. Nadie puede hacer nuestra vida por nosotros. Nosotros tampoco podemos hacer la de los demás. Vivimos separados, África. Nuestra alma es sólo un trozo de alma. Nos falta todo. Y lo que no tenemos, lo que nunca tendremos o lo que ya hemos perdido, sólo podemos inventarlo. Ibas bien con los cuentos que me enviabas, pero te paraste. Quizás pensaste que la vida te deparaba cosas mejores. La vida es una cosa rota, y no la has roto tú. Te la han dado así, en pedazos. No hay que tomársela demasiado en serio. Es la única manera de no caer en la tentación de organizarla. Los artistas lo pueden hacer, pero ésos no creen ni en su madre. Quizás algún día puedas acabar la historia de La Tilleira. Empezaba bien.

No pensé nada mientras bajaba la escalera. Sin embargo, cuando llegué a la calle tuve prisa por encontrar un taxi. Eleuterio estaba equivocado sólo en una cosa: el tiempo corría para los dos. Para mí y para él. Tenía que coger el autobús que me llevara a Armor, pero antes pasé por Zurbano. La necesidad de ver a Piedad se impuso sobre todo lo demás.

Paré el primer taxi y di rápidamente la dirección de mi antigua casa. Pasaba de la una del mediodía, la peor hora para circular por Madrid. Recordé que a la una y media Clemente se marchaba a comer, si todavía seguía ejerciendo aquel trabajo, y aún teníamos que atravesar lo peor de la ciudad, la salida este-norte hacia el centro. Cuando me bajé del coche vi al portero todavía recogiendo tras el mostrador. Su calva había progresado increíblemente. Corrió a abrirme la puerta de cristal. Me alegré de verle. Le saludé, y creo que me reconoció sólo cuando oyó mi voz.

—¡África! —exclamó—.

Me pareció que se alegraba, pero inmediatamente noté que el portero se retraía un poco sin acabar de abrir la puerta del todo.

—Vengo a ver a Piedad —dije.

—¿Piedad Hero?

Noté en el modo de pronunciar aquel nombre que Clemente me ponía a mucha distancia de su inquilina. Pareció dudar un momento, y luego dijo:

—No creo que puedas hablar con ella hoy.

Tuve la sensación de que el portero intentaba protegerla de mi visita.

—Sólo es un momento —insistí—.

—Hoy tiene una exposición —me explicó—. Estará muy ocupada. Ven mañana, si quieres.

Clemente abrió la puerta para que pasara y se retiró a la trastienda de la portería. Me quedé esperando hasta que volvió a aparecer con una bolsa llena de sobres y papeles de distinto tamaño.

—Esto es tuyo —dijo—, supongo que no habrá nada importante de lo que no te hayas enterado. He ido guardando toda tu correspondencia durante estos años. No me gusta tirar lo que no es mío.

Me invitó a pasar a la trastienda, pero no lo hice. Me senté en el sofá de piel y ojeé la bolsa. Los matasellos correspondían a fechas muy diferentes, alguna carta de mi familia, tres o cuatro libros antiguos que me habían enviado del periódico, publicidad gratuita y diversos avisos del ayuntamiento.

También me entregó una invitación para la exposición de Piedad. Estaba orgulloso.

—Se ha hecho muy famosa —dijo—, viaja todo el día. Ve a ver sus cuadros.

Todavía no sé por qué me daba Clemente aquella información. Los porteros, como el correo, se aferran a una inercia que salta por encima de todos los cambios. Las cartas siguen llegando a los lugares donde no vives. La vida te persigue y te convoca a citas con las que ya no puedes cumplir. A veces, sólo a veces, esa inercia recalcitrante colabora con el presente, como si desde el pasado alguien lanzara una piedra y uno no se diera cuenta hasta mucho tiempo después de su impacto. Es algo así como una negligencia al revés, una oficiosidad del tiempo que insistiera a través de los años en terminar su tarea, más por espíritu burocrático que por efectividad. Aquél era un tarjetón lujoso, de cartón duro y rugoso, y con una elegante impresión. El nombre de Piedad lucía en letras grandes, y bajo su nombre un paréntesis enmarcaba los años «1983-1993», mi llegada a Madrid y mi salida del sanatorio.

Clemente ya estaba dispuesto, junto a la puerta, para despedirme. Era su hora de comer. Me quedé con la invitación y entregué el resto de la bolsa al portero para que la tirara.

Me despedí de él desde el último escalón, ya en la calle. ¿Habían pasado diez años desde mi llegada? Quizás sí. Yo no podía precisar el tiempo que había durado mi internamiento. Me acordaba de las primeras noches frías durmiendo en los bancos del Retiro, pero después todos los días fueron iguales, amortiguados por las sustancias del tratamiento. Piedad tendría ahora cuarenta años. Y yo iba a cumplir treinta. Me acordaba de las profecías de Belén y de la vida dulce que prometían. Quizás a la vuelta de la esquina todavía me esperaban sorpresas inimaginables. Quizás todo empezaba ahora.

Me conduje con una gran timidez a la exposición. El local estaba abarrotado. Había gente fuera y dentro. Pensé que no estaba vestida para la ocasión, pero no me hizo falta la invitación para pasar. Encontrarme de repente en medio de tanta gente produjo en mí sentimientos encontrados. Nada más atravesar la puerta y mezclarme entre la muchedumbre tuve ganas de marcharme. La visión de los cuadros era imposible. Había demasiada luz. Y me preocupaba mi aspecto. Pensé que aquella invitación no había sido desinteresada, que la vida me convocaba a algo que todavía tenía que suceder. Mis ojos debían destilar un brillo extraño, como los de alguien que aguza sus pupilas en medio de una reunión a la que ha llegado por error. No conocía a nadie, pero todas las caras me parecían enemigas. Quería ver a Piedad, aunque sólo fuera a distancia, pero notaba flaquear mis piernas, mi miedo a aquella mujer otra vez me embargaba. Al poco tiempo de estar en la sala desistí de buscarla. Decidí marcharme. En el camino hacia la puerta pude ver algunos de los cuadros que se exponían. Eran diferentes a los que yo conocía. Había en ellos algo extraño, como si la mano que los pintara fuera de otra persona diferente. Entonces, junto a la salida, la vi a ella. No me atreví a acercarme hasta que empezó a disgregarse la multitud de personas que la rodeaban. Todavía estuve observándola un tiempo antes de aproximarme. Piedad, como sus cuadros, también era otra. Su aspecto era formidable, el de una mujer libre y feliz, con el cabello domesticado por la peluquería y los rasgos de la cara suavizados por el éxito. Parecía más alta que cuando la conocí, y sus zapatos y sus ropas eran nuevos. Caminaba erguida entre la gente, como una anfitriona orgullosa y amable supervisando cada detalle con la mirada. Apenas quedaba nada en su rostro de la antigua Piedad, a no ser cierto entusiasmo en aquellos ojos que ahora se cubrían bajo una capa de discreto maquillaje. Por un instante tuve la tentación de marcharme sin saludarla. No parecía justo que nada ni nadie le estropeara la tarde. Pero en aquel momento sus ojos se posaron en mí. No pude evitar sonreír al sentirme reconocida. Sin embargo, los ojos de Piedad no se alteraron. Se posaron un segundo en mí y continuaron su paseo amable y seductor por los demás asistentes, hasta que localizó un grupo familiar y se sumó a la animada conversación que mantenían. Me acerqué hasta ponerme a su lado. En ese momento me embargó una alegría inconmensurable, me parecía imposible que Piedad hubiera sobrevivido después de todo y que estuviera allí, que existiera. Me parecía admirable, increíble, que aquella mujer a la que había conocido en sus momentos más bajos ahora brillara en medio de la vida como una estrella. Todo estaba bien a su alrededor, todo estaba en su sitio. Yo no quería interrumpirla, pero casualmente Piedad se giró.

—Cuánto me alegro de verte —exclamé, sin ser capaz de pronunciar ni una palabra más.

En el silencio que siguió a mi frase tuve tiempo de recomponerme. Piedad me miraba con un cariño impersonal.

—¿Nos conocemos? —me preguntó con una imperturbable amabilidad.

Probablemente, yo también había cambiado.

—No me reconoces. Yo a ti, sí. Nos presentó Isaac.

—Ah, claro, Isaac... —respondió Piedad, sin llegar a localizarme en medio de su agenda—. Hace tiempo que no le veo. ¿Cómo está?

Noté que Piedad intentaba desviar la conversación a un cierto plano impersonal. Tuve la tentación de hablarle de Clemente, de la casa de Zurbano, de Alberto, de todo lo que había pasado, pero allí no podía contarle nada, a menos que estuviéramos solas y ella quisiera escucharme, y eso no parecía que fuera a suceder. Alguien del grupo la reclamó y aproveché para despedirme. Ni siquiera era importante que me reconociera o no. Con que una de las dos existiera, quizás era suficiente.

—Sólo quería decirte que tus cuadros son asombrosos. Me encantan —dije, y me retiré.

Piedad se mostró halagada, dentro de los límites de una perfecta educación, de medio perfil, con la mitad de la cara respondiendo a uno de sus amigos y la otra mitad despidiendo a la extraña admiradora que se le había acercado.

—¿Te gustan? Muchas gracias.

Busqué la salida entre los asistentes. No conocía a nadie y nadie me conocía. Es difícil para mí entender cómo alguien como Piedad pudo sobreponerse de aquella manera a todo lo que la rodeaba, a la traición de Alberto y su hermana, al ambiente de la ciudad, que cuando yo la conocí parecía a cada instante a punto de aniquilarla, a su propia locura, que también había sido la mía, a su amor por aquel hombre que todavía era una incógnita para mí, y que ella no me iba a resolver. Piedad, la persona más frágil que jamás conocí, me mostraba ahora una faceta suya que me dejó confusa. Sin embargo, sobre mi confusión planeaba una complacencia inequívoca, la seguridad absoluta de que en su salvación y en su éxito yo también tenía alguna participación. No sé si el cambio que se había operado en ella hablaba o no en su favor. Yo nunca pude hablarle del mío. No le pedí su teléfono y ella nunca me citó para saber cuál había sido mi aventura durante aquel tiempo. Ahora pienso que, si lo hubiera hecho, Piedad seguramente hubiera respondido de la forma más amable que se puede responder a un loco que se acerca y te pide un encuentro, pero que nunca hubiera aparecido. Qué duda cabe que estaba espléndida. En su nuevo aspecto sólo había algo monstruoso, algo que yo sabía, esa marca indeleble que deja en algunas personas la lucha a brazo partido contra la existencia, hasta volverlas indestructibles.

Salí al aire de la noche y sentí un alivio total. Sentí que dejaba atrás una parte de mi vida. Ni durante mi internamiento, ni seguramente en lo que me quedaba por delante, iba a comprender nunca lo que me había pasado. Y mejor así. A veces es mejor no buscar explicaciones, porque esas explicaciones nos encubren sólo de un modo temporal. A menudo son un destrozo devastador, una máquina que viene a imponerse y a demoler el techo que tan trabajosamente hemos levantado, bajo el que nos hemos cobijado durante años, y bajo el que hemos aprendido a vivir, para dejarnos de nuevo a la intemperie.

Así me sentía cuando crucé la calle, con la luna y las estrellas sobre mi cabeza, con la ilusión del misterio que envolvía a toda aquella gente que dejaba atrás, que me envolvía a mí misma. Aún tardé unos segundos en responder cuando oí mi nombre. No me hizo falta que me llamaran por segunda vez.

—¡África! —escuché.

Me volví deseando que todo fuera una alucinación. Pero no era Piedad la que me llamaba. Isaac, al otro lado de la calle, gesticulaba llamándome y dirigiéndose a grandes zancadas hacia mí. Aquel hombre, después de tanto tiempo, me volvió a detener. Parecía un fantasma en medio de la calle. Quiso que entráramos en un bar, pero esa vez no le seguí. La vida para él realmente no había cambiado. Seguía siendo la misma persona nerviosa e inconstante deseando entrar en cualquier sitio y apoyarse en cualquier barra a beber y perder la cabeza en compañía del primero que le escuchara. Allí estaba. También él había ido a la inauguración de Piedad, aunque, por lo que me contó, ya no los unía ni la más mínima relación. Finalmente había hecho dinero con la editorial a cuenta de la reedición de las obras de Eleuterio. Su fervor por mi vecino no había resultado del todo gratuito, todo el mundo lo había reconocido, aunque su satisfacción como editor todavía no se veía compensada.

—Esos memos no lo entienden, no lo entienden —me explicaba—, le premian y le halagan, pero no lo entienden.

Era gracioso Isaac. Y delicado. No aludió ni por un momento a mi experiencia de aquellos años. No me preguntó nada. Me contó que mi libro se había vendido bien, siempre en circuitos reducidos. Me acompañó, como si no tuviera nada mejor que hacer que pasear junto a mí, sin destino alguno más que el que yo llevara. Me contó que definitivamente se había liberado de las deudas con Lucía y de su relación. Parecía contarlo con pena. Aquella mujer que para mí no tenía el más mínimo interés había sido para él la persona más importante de su vida, quizás la única. Por Isaac supe que, cuando me fui a vivir con Alberto, Lucía se empeñó por todos los medios en que mi libro se vendiera. Piedad se quedó con mi apartamento. Isaac se excusaba conmigo. Él podía darme dinero, podía editarme un libro, pero no podía salvarme de mi propia vida, como no habían podido salvar a Piedad hasta que yo ocupé su lugar. Lucía había querido matar a Alberto, era cierto, pero Isaac sabía que entre ellos había algo más, lo hubo desde el principio. La locura de Piedad no fue otra que la de asumir una traición que también era su salvación. Ella salió de todo aquello al tiempo que yo me fui hundiendo, y lo cierto es que ahora, con Isaac frente a mí, yo no era consciente de ningún sufrimiento, sino acaso de un trabajo hecho, cumplido, de una tarea a la que se me había convocado y que terminé con éxito, hasta el final. Para eso, quizás, me llamó desde la radio. Por eso yo vine a Madrid.

Este libro se imprimió en
Brosmac, S. L.
Móstoles (Madrid)

FREEPORT MEMORIAL LIBRARY

3 1489 00466 9923

DISCARDED BY
FREEPORT
MEMORIAL LIBRARY

FREEPORT MEMORIAL LIBRARY

29.95

1-25-02

FREEPORT MEMORIAL LIBRARY
FREEPORT, NEW YORK
PHONE: 379-3274

GAYLORD M